グレート・リセット

ダボス会議で語られるアフターコロナの世界

クラウス・シュワブ
ティエリ・マルレ
藤田正美　チャールズ清水　安納令奈 訳

日経ナショナル ジオグラフィック社

緊急出版にあたって

ＣＯＶＩＤ－19（新型コロナウイルス感染症）が世界中で蔓延してからというもの、国家の統治から、人々の暮らし方、果ては世界経済への参加の仕方に至るまで、これまで通用してきたありとあらゆる筋書きが文字通りずたずたに引き裂かれてしまった。世界経済フォーラムの創設者、クラウス・シュワブとオンラインメディア『マンスリー・バロメーター』の創設者、ティエリ・マルレは、共著『グレート・リセット　ダボス会議が提示するアフターコロナの世界』で、ＣＯＶＩＤ－19が明日の世界にもたらす広範な影響とその劇的な意味合いについて多角的に考察することにした。

本書の主たる目的は、さまざまな分野や領域で何が起ころうとしているかを理解するための指標になることだ。初版（英語版）が発行された２０２０年7月時点では、まだ世界でコロナ危機がどうなるかは不透明な状況が続いていた。そのため、本書は、同時進行形のエッセイとしての側面と、歴史の重要な岐路に立ち合う瞬間を切り取った学術的なスナップショットとしての側面を併せ持つハイブリッドな本となった。数々の理論や実例を紹介しているが、大部分は、このパンデミックが終息した後の世界がどのような形になりそうなのか、あるいはどうなるべきかを、数多くの推察や発想を交えながら解説している。

本書は、今後の世界を俯瞰的に展望するために、大きく分けて、三つの章で構成されている。第1章では、このパンデミックが五つのマクロ的な主要分野（経済、社会、地政学、環境、テクノロジー）に及ぼす影響を評価する。第2章では、特定の業界や企業に絞って、同様の影響をミクロ的に分析した結果をまとめた。そして第3章では、このパンデミックが個々の人々にどのような影響を与える可能性があるかを推論している。

2020年7月上旬、私たちはこんな議論をしていた。われわれは今、岐路に立っている。一方の道は、よりよい世界に導いてくれる。より寛容で、より公平で、母なる自然に対してより畏敬の念を抱くような世界だ。もう一方の道は、ついこの前やっとの思いで脱出してきた世界に逆戻りする道だ。それだけではない。その先にあるのは、前よりももっとひどい、不快な驚きが次から次に襲ってくるような世界だ。だからこそ、われわれは正しい道を選択しなければならない。迫り来る難問の数々は、これまで誰もが想像しなかったような重大な結果をもたらすかもしれない。しかし同時に、われわれは世界をもう一度リセットとする力を、これまで考えもしなかった規模で結集することもできるのだ。

目次

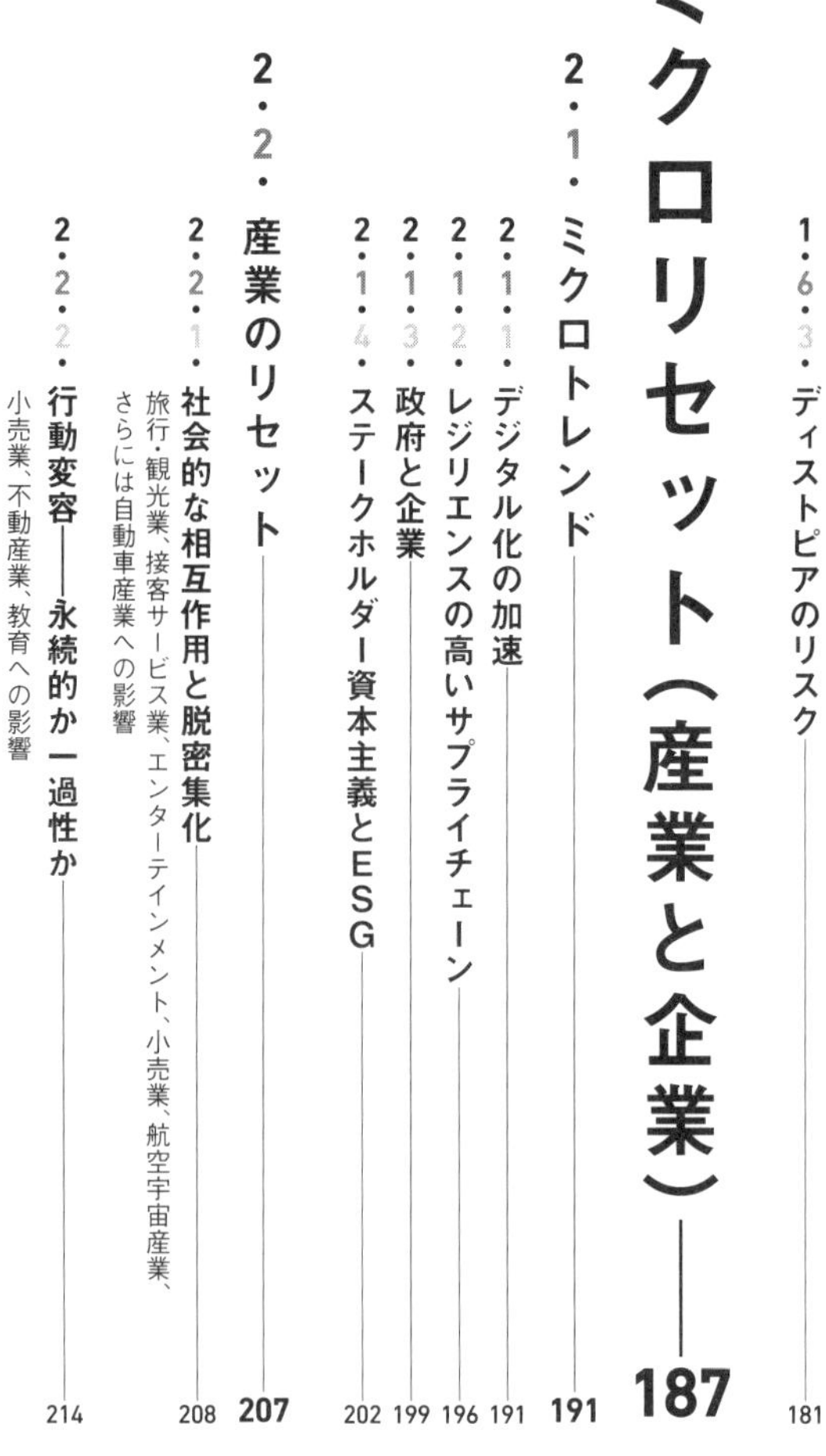

3・個人のリセット 229

はじめに

COVID－19（新型コロナウイルス感染症）の世界的流行から始まったグローバルな危機。人々は今、近代史上前例のない事態に直面している。全世界、そしてすべての人々が、この百年で経験したことのない最も困難な時代に引きずりこまれているといっても決して言い過ぎではあるまい。私たちにとって、今こそが決定的瞬間だ。私たちは今後何年もこの危機がもたらす問題に対処することになり、そして多くのことが元には戻らなくなる。経済が大混乱し、政治的にも、社会的にも、地政学的にも、ありとあらゆる分野でリスクの大きい不安定な時期に突入する。それが環境への深刻な懸念を引き起こし、有害か無害かは別にして人々の生活のすみずみにテクノロジーの波が押し寄せる。どんな産業や企業も、こうした変化がもたらす影響をまぬがれない。何百万という企業が存亡の危機にさらされ、多くの産業の将来は不透明になる。もちろん、繁栄する産業もいくつかはあるだろう。個人のレベルでみると、多くの人にとって今まで当たり前だった生き方が、驚くべき速さで崩れていく。一方、深刻な個人の存在に関わる危機に見舞われるため、人々が自省する機会も増え、それが変化につながることも起きる。世界を分断する断層、とりわけ、社会の分断や不公正、協調の欠如、グローバルガバナンスやリーダーシップの破綻などが、地表にむき出しとなり、人々は今こそ根本から作り直すときだ、と気づく。新たな世界が姿を現す。その世界がどんなものかを、私たちは想像し、本書で描いていく。

本書を執筆している今（2020年6月）も、COVID－19の世界的流行（パンデミック）は各地で悪化し続けている。多くの人がこう考えている。いつになったら、ノーマルな生活に戻れるのだろうと。シンプルに答えよう。戻れないのだ。戻る先が、危機の前はごく当たり前だった、いまや「打ち砕かれた」日常（ノーマル）を指すなら、何も元通りにはならないのである。なぜなら、パンデミックを機に、世界の方向性が根本的に大きく変わるからだ。これを巨大な分岐点と呼ぶアナリストもいれば、「聖書に描かれたような」深刻な危機という人もいるが、要点は同じだ。2020年初頭まで慣れ親しんでいた世界はかき消え、パンデミックという荒波に呑みこまれてしまった。その結果、急激な変化が押し寄せ、一部の人々はこれを「コロナウイルス前（BC）」、あるいは「コロナウイルス後（AC）」の時代と呼んでいる。私たちはまだまだ、あまりにもはやい変化や想定外の性質に驚き続けることになる。変化が変化を呼び、それが第2、第3、第4、と副次的な結果を生み、その影響や想定外の結果が雪崩のように大きくなっていく。そこからやがて、「新しい日常（ニューノーマル）」が形作られるが、これは私たちが過去のものにしようとしているかつての日常（ノーマル）とは決定的に違うものだ。この過程では、世界の未来、あるいは今後あるべき姿についての信念や予想の多くがあっけなく覆される。

とはいえ、(「何もかも変わる」といった) 大雑把で極端なスローガンや、オール・オア・ナッシング、あるいは白か黒かのような分析をするときには、慎重にも慎重を期さねばなるまい。もちろん、現実にはかなりの濃淡がある。パンデミックだけで、世界がすっかり変わってしまうことはないだろう。ただ、爆発する前からすでに始まっていた多くの変化を加速するだろうし、さらに別の変化を引き起こすことになる。唯一、確実なことは、変化は線型で起こるわけではなく、たいていの場合、山高く谷深い不連続線になるということだ。本書では、今後起きる変化を見きわめ、光を当てようとする。そしてより望ましい、持続可能な変化の予想図を詳しく説明し、ささやかに読者のお役に立てればと願う。

それではまず、飛ぶ鳥の目線で状況を眺めてみよう。人類は約20万年前に誕生した。バクテリアが初めて登場したのは数十億年前で、ウイルスは少なくとも3億年は生き続けている。つまり、かなりの確率でパンデミックは常に存在し、人が移動するようになってからというもの、人類の歴史で重要な位置を占めてきた。過去2000年間、パンデミックは普通のことで、例外ではなかった。そもそも破壊的な性質をもつ疫病は、永続的で、時には急激な変化を起こすことが歴史上示されてきた。暴動のきっかけとなり、人民の対立をもたらし、戦争で負けることにもなった。それだけではない。技術革新のきっかけをつくり、国境線を引き直し、しばしば革命への道筋をつけることもあった。疫病の大流行が帝国の運命を変えたこともある。ビザンチン(東ローマ)帝国は、ユスティニアヌス1世の時代、541年から542年にかけて流行したペストが原因で衰退した。また、国そのものがこつぜんと姿を消したこともある。アステカやインカ帝国の皇帝が大半の臣下と共に死亡したのは、ヨーロッパからもたらされた病原菌のせいだった。権力にとって、疫病を封じこめる手段は、いつも政策のひとつとして用意されていた。COVID－19拡大予防のために世界のほとんどで導入された自宅隔離やロックダウンは何ら目新しいものではない。何世紀も前から、ごく当たり前に行われてきたのである。自宅隔離という対策が初めて講じられたのは、1347年から1351年にかけて、ヨーロッパ全土の3分の1の人々の命を奪った黒死病の流行を食い止めようとしたときだ。quarantine（隔離）という英語の語源はイタリア語のquarantaすなわち「40」だ。40日隔離するというこの日数は、何を阻止しようとしているのか当局にも分からないまま定められた。とはいえこの隔離は、初期の「制度化された公衆衛生」のひとつであり、これを機に近代国家の「権力の強化」につながっていく。[*1] 40日という日数には医学的根拠はなく、象徴的・宗教的な理由で決まった。新約・旧約両方の聖書にはよく、浄化という文脈で40という数字がでてくる。たとえば、四旬節や創世記にある洪水が引くまでの日数も40日だ。

感染症が拡大すると他には類を見ない影響も出る。恐怖や不安、集団ヒステリーが煽られるのだ。すると、これまで見てきたように、社会的なつながりや、危機管理の集団的能力が働かなくなる。疫病はそもそも人々を分断し、人々に傷を残すものだ。私たちが闘う相手は目に見えない。家族や友人、近所の人もすべて感染源になり得る。かけがえのない、日常の何気ない習慣や、公共の場所で友人に会うといったことで、感染を広めてしまうかもしれない。市民の安全のために自宅隔離を強制する当局は、弾圧していると見なされることも多い。歴史を振り返ると、何度も繰り返される重要なパターンがある。それは、スケープゴートを探し、よそ者に責任を押しつけることだ。中世ヨーロッパで、ほぼ常に犠牲になったのはユダヤ人だ。痛ましい例がある。1349年、ヨーロッパ大陸全域に黒死病が広がり始めてから2年が過ぎていた。フランスのストラスブールで聖ヴァレンタインの日に、町の井戸を汚してペストを拡散させた罪に問われたユダヤ人が集められ、改宗を迫られた。約千人がこれを拒否すると、彼らは生きたまま火に焼かれた。同じ年、ヨーロッパの他の町でもユダヤ人コミュニティは一掃され、ユダヤ人はいやおうなくヨーロッパ東部（ポーランドやロシア）に大規模な移住を余儀なくされた。これによって、ヨーロッパ大陸の人口構成が根こそぎ変わったのである。ヨーロッパの反ユダヤ主義について言えることは、絶対主義国家の台頭や教会の退潮、さらにはパンデミックが発端になった多くの歴史的出来事についても同様に言える。こうした変化は、さまざまな形で幅広く波及したため、やがて「服従の時代の終焉」をもたらし、封建制度と農奴制度の時代から啓蒙主義の時代へと導くことになった。一言で言うなら、「黒死病をきっかけに、期せずして現代人が誕生したのかもしれない」ということだ。[*2] 中世社会のペストがここまで根深い変化を社会や政治、経済に及ぼしたなら、ＣＯＶＩＤ－19もまた同じような、長期にわたる劇的な影響を現代社会にもたらす転換点の始まりなのだろうか？　過去のどの疫病とも違って、COVID－19は人間の存在に関わる新たな脅威を突きつけているわけではない。これをきっかけに、人類が経験したことのない大飢饉や、戦争での敗北、国家体制の崩壊が起こるわけでもない。全人類がこのパンデミックで絶滅したり、住むところを失ったりすることもない。だからといって、この分析が安心できるかといえば、そうもいかないのである。実際、このパンデミックは以前から存在していた危機、あまりにも長い間克服できずに放置していた危機を、すさまじい勢いで深刻化させている。また、長期にわたって積もり積もってきた不安要因も増幅される。

恐怖だけではない対応をするためには、概念の枠組（頭に描くシンプルな図式）が必要だ。これから何が起き、それをどう理解すればよいかを考えるためだ。とりわけ歴史から得られる深い洞察は役に立つはずだ。だからこそ人は、安心できる「判断のよりどころ」、つまり判断基準を求める。何がどれくらい変わるのかという難問の解を自分で探すときに、その基準が必要だ。そこで人は前例を求め、自分の胸に手を当て、こんなことを問う。今回のパンデミックは（第3波まで続き、世界中で5000万人以上の人が死んだといわれる）1918年のスペイン風邪と同じようなものか？　世の中は、1929年に始まった大恐慌のときと同じようになるのか？　9・11のアメリカ同時多発テロによる心理的ショックと重なる点はあるのか？（規模からして違うにせよ）2003年のSARS（重症急性呼吸器症候群）や、2009年のH1N1インフルエンザとの共通点はあるのか？　2008年の世界金融危機と似ているが、それよりもずっと影響が大きいのだろうか？　これらすべての疑問に対して、望ましくはないが正しい答えは、「ノー」である。今起きているパンデミックは、人的被害も経済ダメージの規模もパターンも、どれよりも大きな影響をもたらしている。とりわけ、近代史で起きたどの経済的危機ともまったく似ていない。パンデミックのさなか、多くの国家のリーダーが指摘したように、私たちは戦争状態にあるが、その敵は目に見えない。比喩的に言えば「今、われわれのしていることが戦争と呼べるとしても、それは通常の戦争とはまったく違うものだ。いわば、今そこにいる敵を人類が一丸となって倒そうとしているのだ」[*3]

「戦争」はもののたとえではあるが、次にどうなるかを考えるとき、第2次世界大戦は最も意味のある判断基準になりうる。第2次世界大戦はまさしく歴史の分岐点となった戦争だ。世界秩序と経済を根底からくつがえす変化のきっかけとなっただけではない。この戦争を機に社会全体の行動や信念が徹底的に変わり、それがやがて、今まではまったく思いもよらなかった新しい政策や、社会契約の条件（若い女性が労働力となり、やがて参政権を得たことなど）が生まれることになった。パンデミックと戦争とでは明らかに根本的な違いがいくつもある（この点については後述する）が、この二つの物事を転換させる力はいい勝負だ。いずれも、以前なら想像すらできなかったスケールで物事を変える可能性をもっている。ただし、軽々しい類推でものを言わないよう、注意すべきだ。

COVID－19で最悪の恐るべきシナリオを描いたとしても、その死者数は黒死病のような過去のペスト大流行や、第2次世界大戦による死者数には及ばない。しかも、こんにちの経済は、手工業や農業、または重工業に依存していた数世紀前の経済とはまったく似ていない。それでも、相互につながり、相互に依存している現代では、パンデミックの影響は（すでに驚くほど膨れ上がっているとはいえ）死亡者数や失業者数、破産件数など「単なる」を遥かに凌駕するものとなるだろう。

本書は、危機のさなかに書かれ、世に出る。この危機がもたらす影響は、今後何年も続くだろう。人々が皆いささかうろたえるのも、無理もない。人はとてつもない衝撃に襲われると、そのあと予想もできなかった特異なことが起きるという不吉な気持ちに襲われるものだ。この落ち着かなさを、アルベール・カミュは1947年の作品『ペスト』でうまくとらえている。「しかしこれらの変化はある意味、あまりにも意表をつき、性急であったため、それがまさかずっと続くとはとうてい思えなかった」[*4]。さてここで、まさに思いもしなかったことが今、われわれの身にふりかかっている。パンデミックの終息直後にいったい何が起きるのか、その先、予想しうる将来に何が起きるのだろうか。

もちろん、COVID－19がどういった「将来に影響を与えるような」変化を起こすのか、少しでも妥当な精度で語るには時期尚早だ。それでも、今後の展開について分かりやすく、筋の通った何らかの指針を紹介し、なおかつそれをできる限り全体像に照らして述べることが本書の目的だ。

これから来たる変化のさまざまな側面を読者が理解する上で一助になればと思う。これから本書で述べるように、少なくとも今回のパンデミックは、以前から明らかだった社会の変化をさらに加速する。その変化とは、グローバリゼーションの後退、米中のデカップリング（切り離し）、オートメーションの急速な普及、広がる監視社会への懸念、強まる福祉政策への要望、ナショナリズムの高まりと反移民感情、テクノロジーの台頭、企業に求められるネット上のプレゼンスの強化などだ。しかし、単に加速されるだけでなく、以前だったら変えられないと思われていたものを変えるのかもしれない。これによって、パンデミックに襲われる前は想定外だと思われていた変化が引き起こされる可能性もある。たとえば、（すでに起こっている）「ヘリコプターマネー」（国債買い入れによる市中への資金供給）のような新しい形の通貨政策、社会の優先順位の部分的見直しや再調整に加えて政策目標としての公共利益のより徹底した追求、政治的な力をつけつつある公正性という考え、思い切った福祉および税制上の措置、そして急激な地政学的再編などが考えられる。

もっと広く言うと、こういうことだ。変化の可能性、その変化がもたらす新しい秩序は無限にあり、それを（良いほうにも悪いほうにも）変えられるのは、私たちの想像力だけである。社会はどうにでも変えられる可能性がある。より平等にもなるし、より独裁的にもなれる。より連帯もできるが、より個人主義にも舵を切れる。少数のための利益か、多数のための利益かも決められる。経済が回復した後には、もっと多種多様な人々が参加でき、全人類に共通する利益に向けて道をたどれるかもしれない。あるいは、以前と同じ形に戻る可能性だってある。つまり大事なのは、私たちは前例のないこの機会を利用して、世界のイメージを描き直すべきだということである。この危機が終わったときに現れる世界を、より良く、復元力（レジリエンス）の高いものにするために。

本書で扱う問題すべての展望と広がりを網羅しようとするのは、とほうもない仕事であり、不可能ですらあるかもしれない。それは私たちもよく分かっている。このテーマや、これに付随するありとあらゆる不確実性はあまりにも膨大で、それを書くとしたら本書の5倍のページが必要だ。しかし、私たちの目的は、比較的コンパクトで読みやすい本を書き、さまざまな領域でこれから起きることの本質を読者が理解する手助けをすることだ。文章の流れをできるだけ邪魔しないように、参照情報を巻末に載せ、出典を本文に記すことはできるだけ避けた。危機のまっただ中の出版、しかも、第2波、第3波の感染拡大が予測される中、本書はこれからもこのテーマの変化に富んだ特性を鑑み、内容を進化させていく。今後版を重ねるたびに、新しい発見、最新の研究、政策の修正、そして読者の声に照らし、内容を更新していく。

本書は軽い学術書でもありエッセーでもある。ここには、理論や実例が紹介されているが、何よりもポスト・コロナの世界がどのようなものかについて、あるいは、どのようなものになるべきかについてわかりやすく述べ、予想やアイディアを盛り込んでいる。本書では「新しい日常（ニューノーマル）」に向かう世界について、単純に一般化したり推奨したりしてはいないが、読者にとって役立つと確信している。

これから、将来の姿について概観するために、章を三つに分けて話を進める。最初の章では、パンデミックが、五つの主要なマクロカテゴリー、経済、社会、地政学、環境、そしてテクノロジーの要素に及ぼす影響を紹介する。第2章では、ミクロ、つまり特定の業界や企業についての視点からパンデミックの影響を考える。最後の章では、個人レベルで今後見られる可能性のある影響について仮説を立てていく。

1. MACRO RESET

マクロリセット

まず、マクロ視点に立った五つのカテゴリーを、一つずつ説明していこう。その五つのカテゴリーを、全体を俯瞰する分析の枠組とし、これに沿っていま世界で起きていること、そして今後どうなるかを探ろうと思う。読みやすさを考え、テーマ別に説明するが、実際には相互につながっている。まさにその「つながっている」話からまず始めよう。人の脳は、線形に、筋道を立てて思考するようにできている。しかし、私たちを取り巻く世界は非線形に動く。複雑で、状況に応じて変化し、目まぐるしく、とらえどころがない。

1.1 概念の枠組：現代社会をあらわす三つのキーワード

マクロ規模のリセットは、日常にごく当たり前にある三つの力の流れの中で起きる。現代社会を形作るその力とは、相互依存、スピード、複雑性だ。この三つの力が、私たちがどこの誰であろうと、大なり小なり影響を与えている。

1.1.1 相互依存

もし、21世紀をたった一語で表せと言われたら、間違いなく「相互依存」になるはずだ。これはグローバリゼーションやテクノロジーの進歩に伴って生じた関係性で、社会を構成する要素の力学ともいえる。グローバリゼーションと技術的進歩が過去数十年の間に一挙に進んだことから、一部の評論家はこう決めつけた。世界は今や「ハイパーコネクテッド（ネットにつながる機会・手段の増大）」、つまり筋肉増強剤（ステロイド）で強化された相互依存の変異型だというのである。では実際に、この相互依存とはどういう状態を指すのだろうか？　簡単に言えば、何もかもがつながっている「連結された」世界である。２０１０年代初頭、シンガポールの学者で元外交官のキショール・マブバニはこの現実を、船にたとえてこう述べた。「地球という惑星に住む70億の人々はもはや、１００隻をはるかに超える船（国家）に別々に暮らしているのではない。全員が同じ1隻の船の１９３の客室で暮らしているのだ」。マブバニ自身の言葉によれば「かつてない規模の転換」である。２０２０年、マブバニはこのたとえをパンデミックにからめてこう書いた。「私たち75億の人々がウイルスの蔓延するクルーズ船に押しこめられているとしたら、自分の部屋だけ懸命に掃除して何の意味があるのか。廊下や通風口からウイルスが入ってくるのに。答えは明快、『無意味だ』。しかし、まさしくそういうことを私たちはやってきた……今や同じ船に乗っているなら、人間性に訴えて世界という船全体のことを考えなければならない」[*5]

相互依存関係にある世界とは、社会システムが深いところまでつながっている世界だ。そこでは、複雑な相互作用の網を通してあらゆるリスクも互いに影響し合う。こうした状況では、「経済的リスクは経済の範囲内にとどまるだろう」とか、「環境リスクは、（経済や地政学など）異なる特性のリスクには波及しないだろう」といった主張は通用しない。誰だって想像できるだろう。経済リスクが政治リスクに変わったり（失業率が急上昇すると、社会不安につながる）、あるいは、技術のリスクが社会リスクに変わったりする（スマートフォンの追跡アプリで感染者を追跡しようとすると人々が反発する）こともあるのだ。一つ一つを切り離して考えると、個々のリスクが経済、地政学、社会、環境のいずれであっても、封じ込めたり抑え込んだりできるように見える。ところが現実には、深い社会的つながりを見ればこうした思い込みはただのファンタジーだ。相互依存関係にある世界では、リスクは互いに増幅し合って雪だるま式に大きくなる。だから相互に依存し、相互に連結している世の中では、隔離や封じ込めが効かないのだ。

24ページの図は世界経済フォーラム『グローバルリスク報告書2020年版』[*6]からの資料だが、ここにはそのことがはっきりと示されている。この図は、人類全体が直面するリスクが本質的に相互に関連していることを表している。どのリスクも同じマクロのカテゴリーにあるリスクと結ばれているが、それだけではない。他のカテゴリーにあるリスクとも結ばれている（ここでは経済リスクは星、地政学リスクは丸、技術リスクは三角形、環境リスクは六角形、社会リスクは四角形で分けている）。こうして、どのリスクも、他のリスクを刺激し、飛び火効果を生む可能性を持っている。図を見れば分かるように、「グローバルガバナンスの機能停止」、「社会不安」、「失業」、「財政危機」や、「難民」などに直接的な影響を与える（他にもいろいろある）。そしてその一つ一つがさらにまた、さまざまなリスクに影響を与えるのだ。個別のリスクが連鎖反応のきっかけとなり（この例では「感染症」）、やがてはもともとのマクロカテゴリー（ここでは社会リスク）にとどまらず、他の四つのマクロカテゴリーにある数多くのリスクも増幅させてしまう。ここに示されているのは、深い社会的なつながりがもたらす感染現象だ。本書の以下の各項目では、このパンデミックリスクに伴って何が起きるかを、経済、社会、地政学、環境、そして技術の視点から説明していく。

相互依存関係は、人の思考に重大な影響を及ぼす。縦割り的な「サイロ思考」は通用しなくなるのだ。手を結び、社会が深くつながることが核心であるなら、問題への対応や評価、リスクの評価を単体で考えても無意味であり無駄だ。過去にもこの「サイロ思考」が原因の一端となった事例がある。なぜほとんどのエコノミストは２００８年の金融恐慌を予見できなかったのか。なぜほとんどの政治学者は２０１１年のアラブの春を予見できなかったのか。今考えれば、今回のパンデミッ

グローバルリスク相互関連性マップ

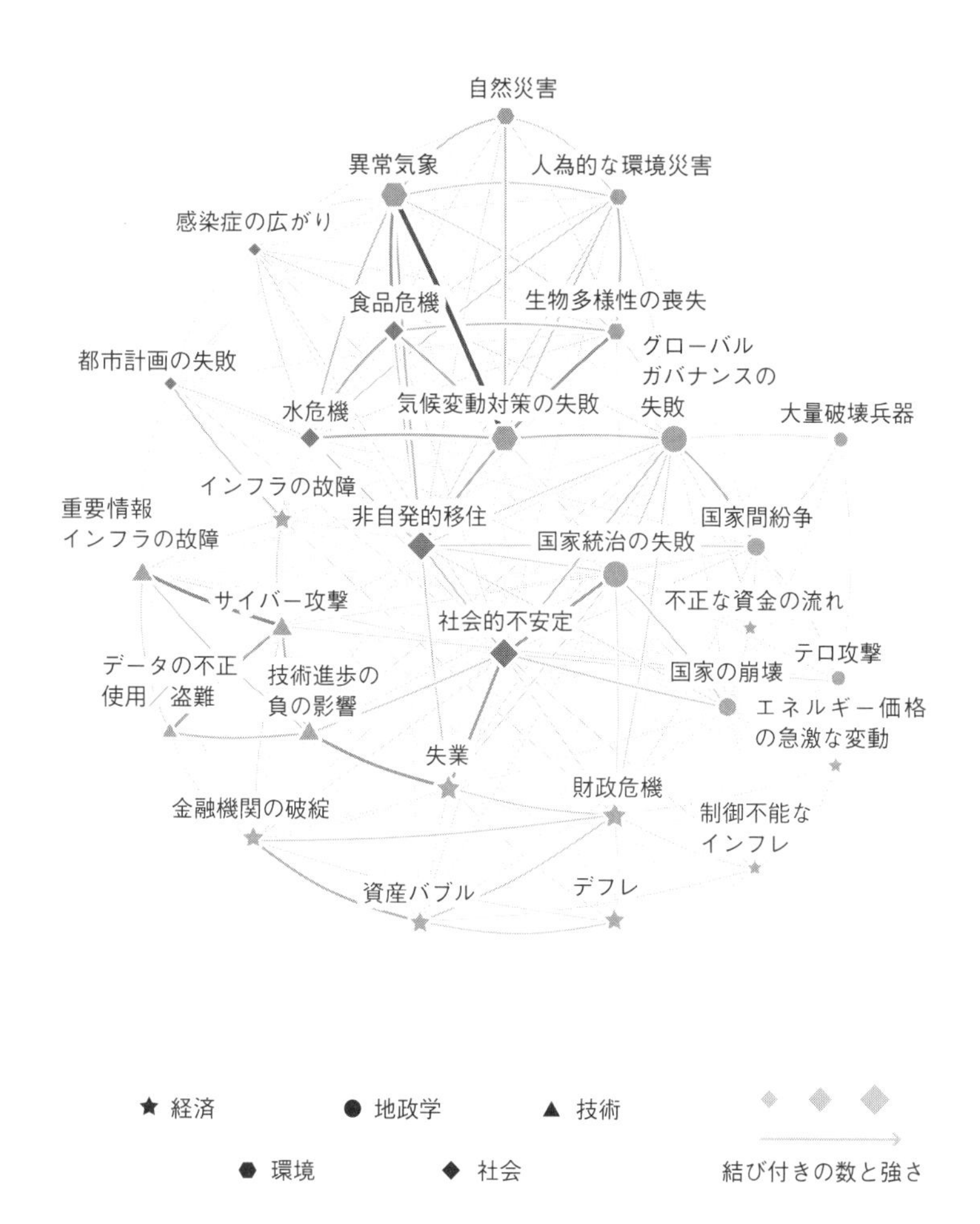

出典：世界経済フォーラム『グローバルリスク報告書2020年版』図IV、グローバルリスク相互関連性マップ、
世界経済フォーラム　グローバルリスクに関する意識調査 2019～2020年

クと同じ理由である。感染症の学者、公衆衛生学者、エコノミスト、社会科学者をはじめ、さまざまな分野の学者や専門家が、将来の見通しについて政策決定者に助言しようとしている。しかし難しい（時には不可能な）のは、学問の領域をまたいだ取り組みだ。それが複雑なトレードオフ、たとえばパンデミックの感染抑制と経済の再開を天秤にかけるのがとてつもなく難しくなる理由である。無理からぬことだが、大半の専門家は究極的にどんどん狭い領域に押し込められていく。そのため、物事を一歩引いて眺める視点を持てない。しかしそういった視点こそが、さまざまな点をつなげ、より完全な全体像を浮かび上がらせるものだ。それが政策決定者が切実に求めている全体図である。

1.1.2 スピード

こうした相互依存を促進してきた「主犯格」は、テクノロジーの進歩とグローバリゼーションだ。またこの二つは、「急ぐ文化」も生んだ。実際、現代では、何もかもが昔よりかなり素早く動いていると言っても大げさではない。この、驚異的なスピードアップの原因を一つだけ挙げるなら、それは明らかにインターネットである。今や世界人口の半数以上（52％）がインターネットにつながっている。20年前は8％にも満たなかった。２０１９年には、世界中で15億台以上のスマートフォンが販売された。スマートフォンは、いつでも、どこでもつながるスピードの象徴でもあり、それを可能にするものでもある。インターネット・オブ・シングス（ＩｏＴ）で今、リアルタイムに２２０億台もの機器（車、病院のベッド、電力網、給水ポンプ、台所のオーブン、農業の潅漑システムなど）が接続されている。２０３０年には、これが５００億台を上回ると見られている。もう一つ、スピードへのこだわりの原因とされるのが「希少性」という要素だ。社会が豊かになるにつれ、時間はますます貴重になる。すると、時間は今まで以上に足りなくなる。これを裏付けるような調査結果もある。豊かな都市の住人は、貧しい町の住人よりも、必ず早足で歩くという。豊かな人々はぐずぐずしていられないのだ！　因果関係はどうあれ、これらが行き着く先は明らかだ。消費者、生産者、配偶者、親、リーダー、フォロワー、誰であれ、非連続的ではあるものの、急激な変化に支配されているのである。

スピードの速さは至るところで見ることができる。危機、社会への不満、テクノロジーの発達と適用、地政学的な激変、金融市場、そしてもちろん感染症、何もかもが今や早送りで進む。すると、私たちはリアルタイムに社会で暮らしながら、生活のペースがどんどん速まっているという感覚につきまとわれる。この、スピードに執着した新しい「急ぐ文化」は、生活のあらゆる面に現れる。「ジャストインタイム」のサプライチェーンから、金融の「高速」取引、スピードデート（日本でいう婚活パーティー）やファストフード等々。万事がこの調子であるため、これを「緊急性の独裁」

と呼ぶ人々もいる。場合によって極端な形を取ることもある。マイクロソフトの研究者の調査によると、ウェブサイトの反応がたった250ミリ秒（1秒の4分の1）遅いだけで、「より速い」競合他社にアクセスを奪われるという！　つまりすべてに当てはまる結論はこうだ。政策や商品、アイデアの賞味期限、それに、政策決定者の任期やプロジェクトの寿命はしばしば予想を超えて急激に縮まっている。

何よりも、強烈なスピードを人々に生々しく印象づけたのは、2020年3月の新型コロナウイルス（SARS−CoV−2）の感染拡大だ。ひと月も経たないうちに世界の大部分を飲みこむほどの圧倒的な感染のスピードが大混乱を生み、そこからまったく新しい時代が姿を現し始めているように思えた。大流行は当初、中国から始まったと思われていた。そのうちパンデミックが指数関数的に世界に広がると、多くの政策決定者や大多数の人々は驚いた。人は普通、指数関数的な拡大のすさまじさを分かろうにも、感覚がつかめないからだ。では「数日で倍増する」と考えてみよう。仮にパンデミックが1日30％のペースで拡大すると仮定する（3月中旬あたりでCOVID−19〔新型コロナウイルス感染症〕による被害が最も甚大だった国では実際この割合で増えた）。届け出た感染者の数（あるいは死者数）は、2日ちょっとで2倍になる。拡大率が20％ならば、4日と5日の間で倍になる。10％の増加ならば1週間ちょっとで倍になる。言い方を変えよう。世界レベルでいうなら3カ月で感染者が10万人に達し、それが12日後には20万人、4日後には30万人、その後

2日で40万人、さらに2日で50万人になる。こうした数字を見ると、めまいがするほど、とんでもないスピードだ！　指数関数的な伸びとは、まさに人の理解能力を超えたペースである。こうなると、人は急激に「近視眼」[*7]化し、単に「とても速い」としか考えなくなることが多い。1975年に行われた有名な実験で、二人の心理学者がこんなことを発見した。指数関数的なプロセスを予測するとき、人はよくそのプロセスを10分の1に過小評価する。[*8]この拡大の動きと指数関数の力が理解できれば、なぜ速度がここまで問題視され、感染を抑制するために介入のスピードがここまで重要かが分かる。かのアーネスト・ヘミングウェイはこのことを承知していた。その著作『日はまた昇る』で、二人の登場人物がこんな会話を交わす。「どんなふうに破産したんだ？」とビルは尋ねた。「二通りさ」とマイクが答える。「最初はゆっくり、そしていきなり」。同じことが、大きな社会的変化や崩壊のときに起きやすい。つまり、最初はゆっくりと、やがていきなり物事が変わるのである。そして同じことが、マクロリセットでも予想できる。

スピードは極端な形で現れるだけではない。ややねじれた影響を及ぼすこともある。「短気」がその一つだ。その影響が、金融市場のトレーダー（トレーダーについての最新の調査によると、速さが勝負のモメンタム・トレーディングのせいで、「適性」な株価やファンダメンタルな価値をはるかに超えて株価が動いている）や、選挙での有権者の行動でも同じようにみられる。有権者の問題は、とくにコロナ後の世界で決定的に重要になる。政府は必要に応じて、時間をかけて決定し、実行に移す。さらには、さまざまな有権者グループや利害の対立を考慮し、国内の懸念と対外的な配慮を比較し、立法府の承認を得たら、これらすべての決定を実行に移すように官僚機構を動かさなければならない。有権者の側はすぐに政策の結果や改善が現れることを求め、期待通りにならなければあっという間に失望する。この、二つのグループ（政策決定者と国民）の時間感覚があまりにもずれているために、パンデミックという状況では調整がとても困難だ。パンデミックが引き起こす衝撃のスピードや痛み（の深刻さ）は、政府のスピードと今後一致することもないし、一致させることもできない。

このスピードは、世間の多くの人を間違った結論にも導いてしまう。季節性インフルエンザと新型コロナウイルス感染症を比べ、同じだと思わせてしまうのだ。この比較はパンデミックの最初の数カ月間によく行われたが、誤解を招くものであり、考え方として誤っている。アメリカを例に、このことについて問題点を洗い出し、スピードがこうしたことすべてにもたらす影響を考えてみよう。米国疾病対策センター（CDC）によれば、2019年から2020年の冬シーズンにインフルエンザにかかった人は3900万人から5600万人、死者は2万4000人から6万2000人に達したという。[*9] 一方、ジョンズ・ホプキンス大学の調査では、2020年6月24日時点で新型コロナウイルスの感染者は230万人以上であり、ほぼ12万1000人が死亡している。[*10] しかし、比較はここまでにしておく。二つの理由から無意味だからだ。(1)インフルエンザの感染者数は推定値だが、新型コロナウイルスの感染者数は確認された症例者数である。⑵季節性インフルエンザは、(最大6カ月という)一定期間に「穏やかな」波を描き、均一のパターンで広がる。一方、新型コロナウイルスはホットスポット(罹患者が集中するいくつかの都市や地域)で津波のように拡散し、医療現場の収容能力をはるかに超えて混乱を生じさせ、医療崩壊が起こって新型コロナウイルス感染者以外の患者の治療ができなくなる。この新型コロナウイルス感染症のパンデミックが急激に拡大するスピードと、クラスター感染が突然発生するところは、季節性のインフルエンザとはまったく違う。だから、インフルエンザとの比較は無意味なのだ。

一つ目の理由と二つ目の理由の根底にあるのがスピードだ。大多数の国は、この疫病があまりにも速く拡散するため、十分な検査能力を備えられず、そのせいで医療システムが対応しきれなくなっている。医療システムは、予測可能で周期的に発生し、比較的ゆっくり拡散する季節性インフルエンザへの対策は整えているものの、「超ハイスピード」のパンデミックには備えていない。

もう一つ、スピードがもたらす、広範囲で重要な影響がある。政策決定者は以前よりも多くの情報や分析を得られるものの、より短時間で決断を迫られるようになっている。政治家や企業経営者ビジネスリーダーにとっては、戦略的視点を求められる状況と、即決しなければならない日々のプレッシャーとの間で、板挟みになることが多くなっている。パンデミックという状況ではそれがとりわけ明白で、その上複雑性が問題をさらにややこしくしている。複雑性については次に説明しよう。

1.1.3 複雑性

複雑性をできるだけシンプルに定義をするなら、人が理解できない、あるいは理解するのが難しいのが複雑性だ。複雑な社会とは、心理学者のハーバート・サイモンに言わせれば「単純とはいえない方法で相互に作用するたくさんのパーツでできた社会」[*11]である。複雑な社会は多くの場合、構成要素の間に目に見える因果関係がないため、予測することがほとんど不可能だ。社会が複雑になればなるほど、物事は悪い方に転がり、アクシデントや脱線が起きて、大きなことになりがちだということはよく分かっている。

複雑性は三つの要素で大まかに測定することが可能だ。(1)あるシステムに含まれる情報の量あるいは構成する要素の数、(2)こうした情報や要素それぞれの間で及ぼし合う力の大きさとして定義される相互接続性、そして(3)非線形性の影響（ある時点を境に物事が一気に広まる非線形な要素は通常、「ティッピングポイント（転換点）」と呼ばれる）。非線形は複雑性の中心的な特徴だ。なぜなら、あるシステムのたった一つの要素で起きた変化が、驚くべき、釣り合いの取れない影響を他のところで引き起こすからだ。[*12]だからこそ、パンデミックモデルの結果は多岐にわたることがあまりにも多い。モデルのたった一つの要素についての想定がほんのちょっと違っただけで、結果が劇的に変わることがある。「ブラックスワン（金融市場において予想外の衝撃を与えるイベントが起きること）」や「知らないと知っていること」、または「バタフライ効果」といわれたら、そこには非線形が働いている。したがって、世界の複雑さを考えるたびに「サプライズ」、「乱気流」、「不確実性」という言葉を連想するのも当然だ。2008年、いったい何人の「専門家」が、アメリカで発行された不動産担保証券が世界中の銀行機能を麻痺させ、国際金融制度を崩壊寸前にまで追いこむことを予想しただろうか。また、2020年初頭の段階で、どれだけの政治家が、パンデミックが世界で最先端の医療制度に打撃を与え、グローバル経済にここまで深刻な被害を及ぼすということを予見しただろうか。

パンデミックとは複雑で順応性のある一つのシステムであり、いろいろな要素や（生物学から心理学に至るまでいろいろな）情報から成り立っている。その動きは、企業、経済政策、政府の介入、医療政策あるいは国のガバナンスといった変数で変わってくる。このため、パンデミックは刻々と変化する条件に適応していく「生きたネットワーク」と考えられるし、そう考えるべきだ。変わらないものではなく、複雑で適応力があり、相互作用で成り立つシステムである。複雑なのは、「あやとり」のように相互依存と相互接続で成り立っているからだ。さらに、その「動き」は結節点（組織や人の）の間で起きる相互作用によって左右されるという意味では適応力がある。ただ結節点にストレスがかかっているときには混乱するし、御しがたいものになる（自宅隔離という規範に慣れるのか、大多数の人はルールに従うのか従わないのか、問題が生じたときだ）。複雑で適応力のあるシステムを管理する（たとえばパンデミックを封じ込める）には、非常に多くの領域間で、継続的かつリアルタイムかつ柔軟な協調が求められる。同じように領域の中にあるさまざまな分野間の協調も必要だ。ざっくりとした、極端に単純化した例を挙げると、新型コロナウイルス感染症のパンデミックを抑制するために必要なのは以下のようなものだ。新たな大流行の発生をすぐに検知できるグローバルな監視ネットワーク、新たなウイルス株を素早く分析し、効果的な治療方法を開発する世界各地の研究施設、地域社会が準備したり、スムーズに対応したりするための巨大ＩＴインフラ、決定が下されたら無駄な手続きを省いて実行に移せる健全で組織的な行政組織などである。ここで重要なポイントは、これら一つ一つの項目はパンデミックに対応するときに必要なものではある。しかし、他の活動と連動することがなければ十分にその機能を発揮することができない。パンデミックという複雑で順応性が高いシステム全体は、構成要素の総和よりも大きい。それが効率的に動くかどうかは、全体としてどれだけうまく動くかで決まる。そして、そのつながりの最も弱いところが全体の強さになる。

多くの人々がこれまで新型コロナウイルス感染症のパンデミックを「ブラックスワン」のようなものだと誤解してきた。パンデミックに複雑で適応力のあるシステムの特徴がすべて備わっていたからだ。実際にはむしろ「ホワイトスワン」的なイベントだ。ナシーム・ニコラス・タレブが

2007年にその著作『ブラックスワン』ではっきりと説明したような性質を備えているからである。つまり、かなりの確率でいずれは起きることだったのである。[*13] そのとおりだ！　ここ何年も、世界保健機構（WHO）のような国際機関や、世界経済フォーラム、感染症流行対策イノベーション連合（CEPI、2017年の世界経済フォーラム年次総会で発足）のような組織、それにビル・ゲイツのような個人が、次のパンデミックリスクについて世界に警鐘を鳴らしていた。その警告は具体的だった。⑴経済成長によって人と野生生物が共存せざるを得なくなった人口密集地域にパンデミックが現れる。⑵パンデミックは人の移動と交易のためのネットワークを利用し、迅速、かつ静かに広まる。⑶封じ込めをものともせず、多くの国に広まる。この後で見ていくように、パンデミックの特徴を適切にとらえ、その性質を理解することが肝心だ。その理解がすなわち、危機への備えの差につながるからだ。多くのアジア諸国は対応が早かった。それは、（SARSの経験のおかげで）ロジスティクス上も組織上も準備ができていたからだ。そのためパンデミックの衝撃を和らげることができた。対照的に、西欧諸国の多くは何の準備もなく、パンデミックに蹂躙された。こうした国でパンデミックが「ブラックスワン的」イベントであるという誤った考えが広まったのは偶然ではない。とはいえ、これだけは自信を持って言える。パンデミック（かなりの確率で確実な、甚大な被害をもたらす「ホワイトスワン的」イベント）は第2、第3、第4と、次々に波及する影響によって「ブラックスワン的」イベントを数多く引き起こす。連鎖反応の果てに起きることを予測するのは、不可能とは言わないまでも、難しい。失業率が急上昇し、多くの企業が倒産し、一部では国家が崩壊の瀬戸際まで追い詰められた末に、副次的影響が連鎖し、雪崩のように引き起こされるのだ。そのどれもがある意味、予測不能とはいえないが、他のリスクとつながると悪いことが同時に多発し、人々の意表を突く最悪の状況を引き起こすという性質を備えている。ひらたくいうと、パンデミックそのものは「ブラックスワン的」イベントではないが、その結果の一部がブラックスワンになることがあるのだ。

この場合、本質的な問題はこれだ。複雑性は人々の知識や、物事の理解を超えたことを引き起こす。つまり、今まさに複雑性が増しているということは、とくに政治家、もっと広く言えば政策決定者にとって、広い情報を踏まえて何かを決めようにも複雑性に圧倒されてしまうかもしれないのである。理論物理学者だった国家元首（アルメニアの大統領、アルメン・サルキシャン）は「量子政治」という造語でそれを明らかにした。ポストニュートン力学の古典的な（線形で予測可能であり、ある程度決定論的ですらある）世界は、量子力学的な世界に取って代わられたというのである。その世界は網の目のように互いにつながっており、不確実で気が遠くなるほど複雑であり、かつ観察者の立ち位置によって姿を刻々と変える。この表現は量子力学を思わせる。量子力学とはそもそも、万物のふるまいを説明し、同時に「物質およびそれらが相互に作用する力を構成する粒子の性質を最もうまく説明する理論」である。[*14] 新型コロナウイルス感染症のパンデミックがこの量子力学的世界を顕わにしたのだ。

1.2 経済のリセット

1.2.1 COVID−19の経済学

今日の経済は、過去数百年の経済とは根本的に変わっている。以前よりはるかにつながり合っているし、入り組んで複雑化している。特徴としてまず挙げられるのが、世界の人口が飛躍的に増加していることだ。また、航空輸送の発達で世界中どこにでも数時間で行けるようになった結果、今では毎年何十億もの人が国境を越えている。さらに、人間は自然を開拓し、野生生物の生息地にまで侵入するようになった。そして世界のあらゆるところに巨大都市が乱雑に生まれ、何百万単位の人々が密な状態で暮らしている（その多くは十分な衛生状態や医療体制を確保できていない）。数百年前はおろか、数十年前と比べても、今日の経済の姿は以前とはまったく異なるのである。それでも、過去の歴史的なパンデミックが残した教訓の中には、ＣＯＶＩＤ－19（新型コロナウイルス感染症）が今後の経済に与える影響を考える上で役立つものがある。現在私たちが直面するグローバル経済の危機は第二次大戦終戦以降で最悪だ。とくに急速に悪化するスピードたるや過去に例がない。今のところ、過去のパンデミックによる大惨事や何とか持ちこたえた絶望的な経済状況には至っていないとはいえ、恐ろしいほど似ている兆候もある。１６６５年、イギリスで最後の腺ペストが18カ月間にわたって流行し、ロンドンで人口の4分の1が失われた。その時の様子をダニエル・デフォーは１７２２年出版の『ペストの記憶[*15]』（研究社、２０１７年）の中で次のように記している。「商業活動がすべて止まり、働き口もなくなった。仕事にあぶれた貧困層は食べ物も手に入らない。当初、そうした人々の叫びは聞いたことがないほど悲痛なものだった。…ロンドンにとどまっていた何千人もの人々が、絶望以外の何もなくなった街からさまよい出て、路上で息絶え、死の使いとなった」。デフォーは今日の状況に通じる逸話を数多く記している。金持ちが郊外に「死を連れて」脱出する様子や、疫病にさらされるのは貧困層の方がはるかに多いこと、それに「偽医者や詐欺師」が偽の治療薬を売ろうとするありさまなども描いている[*16]。

　過去の疫病の歴史で何度も繰り返されてきたことがある。パンデミックが通商路を通じて拡がること、公衆衛生を重んじる者と経済を優先したい者の間で利害の衝突が起きることだ（これが後に見るように、経済を「脱線」させる）。歴史家のサイモン・シャーマはこう書いている。

災難の最中には、経済は常に公衆衛生の利害と対立する。細菌が原因の病気について理解が広まるまで、疫病はたいていが「汚れた空気」が原因だと見なされた。有害なガスは淀んだ、あるいは汚染した沼地から来ると考えられてきた。しかし、そのような認識が一般的だった時代でも、人々の間では、繁栄をもたらす商業の大動脈が毒の拡散ルートになると恐れる心理があった。検疫が行われるようになると、市場の閉鎖や、大商業イベントの中止で商売ができなくなり大きな損失を被る商人や、場所によっては職人とか労働者がこの対策に強く抵抗した。経済を殺せば人々が健康を取り戻し、社会が回復するというのか、と彼らは訴えた。「イエス」というのが、15世紀以降の欧州の都市生活で、公衆衛生を担うようになった人々の言い分だった。[*17]

歴史を見ると、感染症は、グレート・リセット、国の経済や社会機構を組み直す大きな契機となってきた。今回のコロナ危機はそうではないと言えるだろうか？　過去の大規模なパンデミックが経済にどのような長期的影響を与えてきたのかを分析した重要な論文がある。それによると、重大なマクロ経済の後遺症は40年もの長きにわたる可能性があり、その間に実質利益率は大幅に低下するという。[*18] 戦争が経済に及ぼす影響とは対照的だ。戦争は、パンデミックとは違って、資本を崩壊させる。戦争は実質金利を上昇させるきっかけとなる。経済活動がより活発になるからだ。一方、パンデミックは実質金利を押し下げる。経済活動が停滞するからだ。消費者は、感染症が広がると貯蓄を増やそうとする。先行きを警戒するからか、感染症で失われた資産を補おうとするからだ。また、パンデミックが終息すると、労働者側は有利になる。資本家側がコストをかけてでも再建を急ぐため、実質賃金が上がる傾向が強まるのだ。古くは1347年から1351年にかけて欧州で黒死病が広まったとき（この短期間に欧州全域の人口の40％が失われた）、労働者は初めて、世の中を変える力が自らの手にあることを実感した。この疫病が終息してから一年後には早くも、サントメール（北フランスの小都市）の織物工は、何度か賃上げを要求し、勝ち取ったのである。2年後には、多くの労働組合が労働時間の短縮と賃上げの交渉をするようになり、疫病発生前に比べて約3割賃金が増えた組合もあった。他のパンデミックでも、これほどではないが同じような状況が生まれた。労働者側の力が強まり、資本家側の力が弱まったのである。今日の状況下では、この現象が以前にも増して悪化する恐れがある。世界の大半の地域で高齢化が進んでいるからだ（アフリカとインドは例外だが）。ただし、現代ではオートメーションの台頭によって、シナリオが大きく書き換わる可能性もある。この点については1・6項で詳述する。過去のパンデミックと違って新型コロナウイルス感染症による危機では、労働者側に有利で資本家側に不利だと言い切ることはできない。政治的、社会的な理由で昔と同じ方向に動く可能性もないではないが、テクノロジーによって構図が変わるだろう。

1.2.1.1 不確実性

新型コロナウイルス感染症については未知の部分が多すぎるため、そのリスクを的確に評価するのは極めて難しい。よく分からないリスクが恐怖をもたらし、恐怖は社会不安を増大させ、経済行動に影響を与える。2020年4月、中国を代表する科学者の一人である金奇は、新型コロナウイルスが「長期にわたりヒトと共存する季節性の病原菌となってヒトの体内にあり続ける可能性が非常に高い」[*19]と発表した。世界中の科学者の間で、この見解は圧倒的な支持を得ている。

新型コロナウイルス感染症が世の中に認知されてからというもの、毎日、大量のデータが否応なく押し寄せてくる。しかし、この感染症が拡散し始めて半年近く経った2020年6月時点でも、私たちの知識はまだまだ不完全で、実際どれほど危険なのか本当には分かっていない。この新型コロナウイルスに関して膨大な科学的研究論文が発表されているにもかかわらず、感染致死率（死因によって分類されているかどうかは別にして、結果的に死に至ったすべての新型コロナウイルスの感染者数をベースに計算された確率）はいまだに議論の的だ（約0・4〜0・5％とされているが、最大1％ともいう）。潜在的な感染者と確認されている感染者の比率、無症状の人から感染する確率、季節要因、潜伏期間の長さ、国別の感染率など、それぞれについて分かったことが増えているものの、こうした指標やそれ以外のメトリクスの要素についてはまだまだ「分からないことが分かっている」だけだ。このような状況で、政策決定者や官僚たちが、適切な公衆衛生政策や経済政策を立案するのは至難の業である。

このような混沌とした状況にいること自体は、さほど驚くことでもない。現に、疫学者のカリフォルニア大学ロサンゼルス校のアン・リモイン教授は、「これは人類が初めて遭遇する新型のウイルスなので、何が起きるか誰にも分からない」[20]と語っている。世界的なウイルス学者のピーター・ピオットでさえ「コロナウイルスのことを知れば知るほど、疑問も増える」[21]と言うのだから、私たちは相当謙虚にならなければなるまい。新型コロナウイルス感染症が医学界を当惑させているのは、変幻自在に症状を変える、偽装の名手だからだ。これは第一義的には呼吸器疾患ではあるが、患者の中には、多くはないが相当の数の人が心臓の炎症や消化器障害、腎感染、血栓、髄膜炎などを併発している。また、いったん回復しても、腎臓や心臓に慢性疾患が残ったり、神経への影響が長く続いたりする場合もある。

確実なことが分からないのであれば、この先に何が待っているかを想像していくつかのシナリオを立て、それに備えるというのも理にかなった方法だ。まだ私たちが知らないことや偶発的な出来事が起こり得ることを前提として、このパンデミックがもたらす結果はいろいろあり得る。その中で三つのシナリオが最も可能性があるだろう。今後2年間どうなるか、一定の輪郭を描くのにそれぞれのシナリオが役立つのではないだろうか。

この三つの可能性が高いシナリオ[*22]はいずれも、このパンデミックの影響が2022年まで続くことを大前提としている。その意味で、これから起こることを考える手助けになるだろう。最初のシナリオでは、2020年3月に始まった第一波が収まった後、2020年半ばから小さな波が連続的に起き、1~2年の間に次第に落ち着いて、2021年には終息するという「山あり谷あり」を想定している。この山と谷が現れる頻度や高低差は地理的条件によって変わってくるし、具体的にどのような感染拡大防止策が取られるかによっても変わる。第二のシナリオでは、第一波の後、2020年の第3四半期または第4四半期にもっと大きな波が襲いかかり、翌2021年にはより小さな波が1回から数回来るという（1918年から1919年にかけてスペイン風邪の大流行と同じような）パターンだ。このシナリオでは、2020年の第4四半期あたりに、感染拡大を抑え、医療の崩壊を食い止めるための対策を再度実施する必要がある。第三のシナリオでは、過去にインフルエンザが大流行したときには見られなかった現象だが、2020年の第一波の後「ゆっくりと燃焼」して感染が継続するとしている。このシナリオでは、小さなアップダウンが繰り返され、明確な波のパターンはない。他のシナリオと同様に、この山と谷の表れる頻度や変動の幅は地理的条件によって異なり、また特定の国や地域ではそれまでに導入された感染防止策の効果によってもある程度決まる。感染者や死者は引き続き出るものの、新たに感染防止策を実施するまでには至らない。

この三通りのシナリオの枠組に異論を唱える科学者はそう多くないように見受けられる。本書で明らかにするように、このパンデミックがどのシナリオのパターンをたどるにせよ、政策決定者は「少なくとも今後18カ月から24カ月の間は新型コロナウイルス感染症の活発な活動期が続き、その間にさまざまな地域でホットスポットが周期的に発生する」ことを想定して準備すべきだ。この後で論じるが、われわれがこの厄介なウイルスに打ち勝つか、封じ込めるまで、本格的な経済復興はあり得ないのである。

1.2.1.2 命を犠牲にしてでも経済を守るべきという経済論の誤り

このパンデミックを通じて、「命を守るべきか、それとも経済を守るべきか」という「生命vs.生活」論争がまた始まった。しかし、こうしたトレードオフの議論は的外れだ。経済の視点から見て、公衆衛生と経済成長のどちらかを選択しなければならないという神話は簡単に覆すことができる。

経済を救うために一部の命を犠牲にするという重要な倫理的問題は、ダーウィンの社会進化論の命題の一つかもしれないが、それはさておき、命を守らないという決断をしても、経済は改善されないのである。その理由は二つある。

1. まずは供給サイドだ。さまざまな規制やソーシャルディスタンシングのルールを状況が整わないのに緩めれば、再び感染が拡大する(大多数の科学者はそう考えている)。そうなると、より多くの従業員や労働者が感染し、操業できなくなる企業も増える。2020年にパンデミックが発生した後、この説が正しいことが何回か実証されている。たとえば、あまりにも多くの従業員が感染したため(原因は主に、肉の加工施設のように、密接して働かざるを得なかった労働環境の問題)操業停止に追い込まれた工場もあれば、乗組員の間で感染が広まったため、通常の任務ができなくなった軍艦もあった。また、感染を恐れて労働者が職場に戻るのを拒否する事例も世界中で繰り返し発生していることも、労働力の供給低下を招く要因となっている。多くの大企業では、感染を恐れる従業員たちがストライキなどの行動を起こしている。

2. 一方、需要サイドはどうか。この議論は、結局のところ、最も根底にあり、かつ基本的に経済を決定している感情の問題となる。経済を実際に動かすのは消費者の感情なのだから、安全であると確信しない限り、どのような形でも「平常」には戻らない。安全に対する個人の見方が、消費行動や経営判断を左右する。経済が持続的に回復するには、二つの条件が必要だ。一つはパンデミックが終わったと確信できるようになること。この確信がなければ、消費も投資も戻らない。もう一つは、全世界がこのウイルスに打ち勝ったことを示す証拠だ。この証拠を見せられてはじめて、人々はまず自分たちが安全になったと感じ、次第に他の場所も安全だと思えるのである。

この二つのポイントから得られる論理的な帰結は何か。経済を持続的に回復させるために、政府はありとあらゆる策を講じ、どれだけのコストをかけても国民の健康や社会的な富を維持しなければならない。経済学者も公衆衛生の専門家も、「命を救わない限り、生活は守れない[*23]」と言っている。すなわち、経済回復を可能にするのは人々の健康を中心に据えた政策以外にないことは明白だ。さらに彼らはこうも語っている。「もし政府が国民の命を守ることに失敗すれば、ウイルスを恐れる者は誰も買い物や旅行や外食を再開しようとはしない。そうなれば、ロックダウンしていようがいまいが、経済の回復は進まない」

健康と経済がトレードオフの関係にないことを証明する明白な証拠を得るには、今後集められるデータとその分析を待つしかない。しかし、アメリカで経済活動を再開した一部の州で初めの頃に収集したデータを見ると、ロックダウンの前からすでに消費と労働の減少は始まっていた[*24]。パンデミックを懸念し始めた人々は、州政府が公式にロックダウンを要請する前から、自分たちの手で経済を事実上「シャットダウン」していたのである。同じような現象は、経済活動の（部分的）再開を決定したアメリカの州のいくつかでも見られた。再開しても消費は冷え込んだままだったのだ。これは行政の指示で経済を活性化させることはできないことを示した証拠だ。また同時に、経済の再開に踏み切るかどうかを判断する際に政策決定者の大半が経験する苦悩も物語っている。ロックダウンが経済や社会全般に与えるダメージは誰の目にも明らかだ。その一方で、経済活動を再開するための前提となる感染封じ込めや死者増の歯止め策に成功したとしても、その状況が一般の人の目に触れることは少ない。仮に新型コロナウイルスの感染者や死者を一人も出さなくても、それを誰も祝ってはくれない。「正しく対応したから、何も起きない」という公衆衛生政策のパラドックスがそこにある。だからこそ、政策決定者は、ロックダウンになかなか踏み切らないとか、規制解除に前のめりになる誘惑につい駆られてしまう。しかし、そのような誘惑には、大きなリスクがあることを示す研究がいくつかある。とくに二つの研究は、もしロックダウンをしなかったら何が起きていたかを異なる手法でモデル化したが、同じような結論に達した。インペリアル・カレッジ・ロンドンの試算によると、２０２０年3月に欧州11カ国（イギリス、スペイン、イタリア、フランス、ドイツを含む）で２０２０年3月に広範にわたって施行された厳しいロックダウンによって、３１０万人の命が救われたという。[*25] もう一つのカリフォルニア大学バークレー校の研究では、世界6カ国（中国、韓国、イタリア、イラン、フランス、アメリカ）でそれぞれ施行された封じ込め策によって、5億3000万人（確認件数で言うと6200万人）の感染を防ぐことができたと分析している。[*26] こうした結果から導き出せる結論は単純だ。新型コロナウイルスの感染者がピーク時に約2日で倍増していた国では、徹底したロックダウンを実行する以外に政府には妥当な代替策がなかったということである。それ以外の策は、パンデミックが持つ爆発的な感染力とそれよって生じる甚大な被害を無視することになる。新型コロナウイルスがとてつもないスピードで拡散していたため、介入のタイミングとその強制力が鍵だったのだ。

1.2.2 成長と雇用

2020年3月まで、世界経済がこれほど唐突かつ乱暴に止まったことはなかった。いま生きている人の中で、質的にもスピード的にもこれほど劇的で極端な経済の崩壊を経験した者は誰もいない。

このパンデミックが世界経済に与えたショックは、記録に残る限り、最も打撃が大きく、最も短期間のうちに起きた。1930年代初頭の大恐慌や2008年の世界金融危機の時でさえ、数年かけてGDPが10％以上落ち込み、失業率が10％を超えたのである。2020年3月、このパンデミックの影響で、マクロ経済は災害級の大打撃を受けた（とりわけ失業率が爆発的に高まり、

ＧＤＰが急落した）が、そのような状況に陥るのに要した期間はわずか3週間だ。新型コロナウイルス感染症は供給と需要の両方をマヒさせ、世界経済は過去百年で最大の落ち込みを見せた。エコノミストのケネス・ロゴフはこう警告する。「すべては、これがどれだけ続くかにかかっている。もし長期化すれば、あらゆる金融危機の引き金になることは間違いない[*27]」

景気低迷の長さや深刻度、そして時間が経つにつれて成長と雇用にどれだけの打撃を与えるかは、三つの要因によって決まる。⑴感染症の流行期間と深刻度、⑵各国がパンデミックの封じ込めと影響の緩和にどれほど成功するか、そして、⑶封じ込めた後の対策や経済活動を再開するためのさまざまな戦略に、それぞれの社会がどれほど一致団結して取り組めるかである。本書を執筆している時点（２０２０年6月末）ではまだ、これら三つの要因のいずれも明らかになっていない。感染拡大の（大小の）波が繰り返し押し寄せている現状では、各国の封じ込め策は成功するかもしれないし、次の波が来るまでしかもたないかもしれない。また、社会の団結力も、経済や社会の状況が悪化するたびに、試されることになるだろう。

1.2.2.1

経済成長

2020年の2月から5月にかけて、さまざまなタイミングで世界中の政府が熟慮を重ね、パンデミックを封じ込めるために経済の大部分を閉鎖する決断を下した。この異例の事態は、世界経済の運営方法に抜本的な変化をもたらした。各国とも一方的に、自国経済を相対的に自立させる方向に舵を切り、特定分野では自給自足体制に移行しようとした。こうした内向きの政策は、国内ならびに全世界の生産を縮小することにつながり、経済に劇的な作用を及ぼしている。中でも、これまで他の多くの産業（たとえば、建設業や製造業）よりも経済循環の変動に対する免疫が強かったサービス産業が直撃を受け、政策の影響の大きさを物語った。経済が発展している国ではいずれも、サービス部門が自国経済の最も大きな柱になっている（アメリカではGDPの約70%、雇用の80%以上を占めている）。そこがパンデミックの打撃を最も強く受ける結果となった。しかも、その影響の受け方には大きな特徴がもう一つある。製造業や農業と違い、サービス業が失った売上は永久に失われる。製品や原材料の在庫がないサービス分野の企業は、そうした資産を使って後で売上を回収することができないからだ。

パンデミックが猛威をふるい始めて数カ月経つが、サービス分野の大半の企業は、「普通」に戻ったかのように上辺だけ取り繕うことすらできない。新型コロナウイルス感染症で健康リスクがある間は無理だ。さらに言えば、ワクチンが入手できるようになるまでは、「常態（ノーマル）」に完全に戻ることはないと見るべきだろう。それが果たしていつになるのか。大多数の専門家は、最短でも２０２１年の第１四半期より前になる可能性は低いと予想している。２０２０年６月中旬の時点で、すでにワクチン開発に向けた治験が１３５回以上行われ、過去には承認を得るまでに10年もかかった例がある（エボラの場合は５年）ことを考えれば、目を見張る勢いだ。結局、時間がかかるのは科学が原因ではなく、生産能力である。数十億回分のワクチンを製造するのは極めて大変なことで、既存の体制を大幅に拡充するために巨額の設備投資が必要になる。その次に待ち受けているハードルは、政治的な課題だ。ワクチンを拒否する人々が増えている中で、感染の拡大を防止するのに十分な接種率を確保しつつ世界中の人々にワクチンを打つには、大きな政治力が必要だ（弱い環を改善しなければ全体は強くならないのである）。政府が介入する数カ月の間、経済は普段に比べて８割程度しか動いていない。旅行、接客サービス、小売、スポーツやイベントといったさまざまな業界の企業はこれから、乗り越えなければならない次のような三重苦が待ち構えている。⑴顧客が減る（先が見通せない不安から、リスク回避を優先するため）、⑵消費者の平均支出額が減る（貯蓄を増やそうとするため）、⑶取引コストが増える（フィジカルディスタンシングや消毒などの対策費が加わり、顧客一人当たりにかけるコストが増えるため）。

GDPを押し上げるサービス事業の重要性（豊かな国ほど、成長にはサービス部門が重要になる）を考えると、8割経済という新しい現実はどのような影響をサービス分野に及ぼすのか。サービス産業の停止が長期に及ぶと、倒産や失業が増え、経済全般に長期にわたる悪影響が出るのだろうか。もしそうだとしたら、収入が得られなくなり、将来を悲観する人々が増えるにつれ、需要は急速に減少してしまうのか。このようなシナリオが現実になれば、ほぼ必然的に投資が急減し、消費者は貯蓄を増やそうとする。また、資本の逃避を通じて世界経済が低迷し、国外にある巨額のマネーが急激かつ不透明に動けば、多くの場合、経済危機をさらに悪化させてしまう。

OECDによると、経済を「スイッチオフ」したことで、G7諸国の直近のGDPは年率換算で20%から30%減少すると予想されている。*28 しかし、この予測は各国の感染症大流行がどれほど続くか、また、どの程度深刻かによって変わる。ロックダウンが長引けば長引くほど、構造的に大きなダメージを受ける。雇用の喪失、倒産、設備投資の中止などが相次ぎ、それが永久に消えない傷跡として残るのだ。一般的な目安として、経済の主要部門が1カ月丸々活動を休止した場合、その影響で年間成長率は2%以上押し下げられる。ただし、経済活動の制限措置を継続する期間とそれがGDPに与える影響度は、直線の関係にはない。オランダ政府の経済企画局の調べでは、封じ込め策を1カ月延長するごとに経済活動の悪化は加速することが分かった。このモデルに基づいて計算すると、オランダのGDP成長率は経済が1カ月間「冬眠」すると1・2%、3カ月続くと

5％押し下げられるという。[29]

ロックダウンをすでに解除した国や地域でGDP成長率がどう動くのかを予想するのは時期尚早だ。2020年6月末時点では、V字型回復を示すデータ（ユーロ圏の購買担当者景気指数（PMI）など）やいくつかの事例が、当初見通しよりもリバウンドが強まる可能性を示唆している。しかしそれを鵜呑みにはできない。理由は二つある。

1. ユーロ圏やアメリカのPMIが示す改善傾向は、それぞれの経済が危機を脱したことを意味しない。このデータは単に、事業活動が過去数カ月と比べて上向きになったことを示しているだけだ。徹底したロックダウンの期間中に完全に停止していた活動が閉鎖解除後に再開したのだから、数字の上で急速に持ち直したように見えるのは当然だ。

2. 今後の成長率を予測する上で最も重要な指標の一つになるのが貯蓄率だ。2020年4月時点（明らかにロックダウン期間中だった）のアメリカの個人貯蓄率は33％に上昇した。ユーロ圏でも同時期の家計貯蓄率は19％を記録した（アメリカとユーロ圏では、計算方法が違う）。両方とも、それぞれの経済活動が再開すると、大きく下落するはずだ。それでも歴史的な高水準が普通に戻るわけではない。

国際通貨基金（ＩＭＦ）は、２０２０年6月に公表した「世界経済見通し最新版」で、世界は「かつてない危機」に直面しており、経済回復の見込みも「不透明である」と警告している。[*30] また、世界経済の成長率予測については、今年度の世界のＧＤＰ成長率を4月に発表した前回見通しよりも2％近くも下方修正し、マイナス４・９％とした。

1.2.2.2 雇用

このパンデミックは経済に悪影響をもたらしているが、とくに被害が大きいのが労働市場だ。その危機はあまりにも突然訪れ、いきなり壊滅的な状況を生んだ。経験豊富な政策決定者でさえ呆然とする（しかもほぼ「打つ手なし」と頭を抱える）ほどだ。米連邦準備理事会（ＦＲＢ）のジェローム・〝ジェイ〟・パウエル議長は、5月19日に開かれた上院銀行委員会の公聴会で当時の心境を次のように述べた。「経済活動の急激な落ち込みは、言葉もないほど激しい痛みを伴う苦しい状況を生み出した。先が見えない不安が増大する中で、多くの人の生活は一変している」。[*31] ２０２０年の3月と4月の二カ月だけで、３６００万以上のアメリカ人が職を失った。10年かけて積み上げた雇用の増加を一気に失った計算になる。アメリカでも他の国や地域と同様に、ロックダウンを初めて実施したとき、多くの企業が従業員の一時解雇に踏み切ったが、こうした社員の復帰のメドは立たず、このままでは永久に戻れなくなるかもしれない。もしそうなれば、社会全体に激痛が走り（その痛みを和らげることができるのは強固なセーフティーネットだけだ）、国の経済構造も大きく崩れてしまう。

世界の失業率は、最終的に経済活動がどれほど深刻なレベルまで落ち込むかよって決まるが、世界各国で二桁かそれを超える記録的な数字になることはほぼ間違いない。アメリカでは、２０２０年に失業率が最悪25％にもなると推測されている。これは、大恐慌以来の高い水準だが、隠れ失業者（職を失った後、次の仕事がなかなか見つからず、失望のあまり求職活動を止めてしまったため公式の統計データに反映されない失業者の他に、フルタイムの仕事を探しているパートタイム労働者も含まれる）を加えると、失業率はさらに高くなる。とくに深刻なのがサービス業に従事している人たちだ。非正規労働者の状況はこれよりもさらに悪くなるだろう。

ＧＤＰの成長率は、各国の失業の深刻さと規模によって変わる。国内の経済構造や社会契約の性質によって、それぞれの影響の受け方も違う。アメリカと欧州では失業対策への取り組み方も大きく異なる。それぞれの政策決定者が採用するモデルに根本的な違いがあり、失業問題がこの先どのように推移するかの予測も自ずと違っている。

パンデミックが発生する前、アメリカの失業率は、わずか3・5％にとどまっていた。それが２０２０年6月になると急上昇し、世界のどの国よりも飛び抜けて高くなってしまった。4月時点では、2月と比べて11・2ポイントも増えたが、ドイツでは同時期に1ポイント上昇しただけだ。
この明らかな差はどうして生まれたのか。二つの理由が考えられる。(1)アメリカの労働市場には「雇ったり、解雇したり」することが問題視されない文化が根付いている。欧州にはこの文化が存在しないだけでなく、多くの場合、法律で禁止されている。(2)欧州では、コロナ危機が発生してすぐに、雇用を守るための財政措置を講じた。

アメリカ政府はこれまで（2020年6月現在）、欧州よりも多額の財政支援を行っているが、その内容は根本的に違う。職を失った者に失業給付金を支給しているが、人によってはその金額が、コロナ危機発生前に就いていた仕事の給料よりも高い場合もある。それに対して、欧州諸国では、従業員（実際にはフルタイムで働いていないか、まったく働かず待機している者も含めて）の元の正規雇用形態を変えずに維持する企業に対して、助成金を直接支給している。

ドイツが採用している短時間労働制度（Kurzarbeit）と呼ばれ、他国で導入されている類似制度のモデルにもなっている）は、自国労働者1000万人に対して、労働時間の短縮で減った給料を最大60％まで国が補てんすることで、失職しないですむようにするものだ。同様の制度を導入したフランスでは、だいたい同じ数の自国労働者に最大80％の給与補償を提供した。欧州内では、似たような制度が他の多くの国でも採り入れられた。それにより、レイオフや余剰人員の解雇を回避し、失業者の急増を食い止めた。労働市場を守る目的で導入されたこうした施策は、各国政府が実施している他の緊急支援策とも連動している。その一つが、債務超過に陥った企業に支払期限の猶予を与える特別措置だ。欧州の多くの国が、流動性不足で破産せざるを得なくなった国内企業に対し、その事態がパンデミックによって引き起こされたことを証明できれば、破産申請を先延ばしできるようにしている（一部の国では期限は最長2021年3月）。もしこうした企業に与えた猶予期間中に経済の復興が進めば、企業の倒産件数を低く抑えるのに大きな効果がある。その一方で、これは単に急場しのぎで、問題を先送りしているだけに過ぎないという見方もできる。世界の労働市場が完全に元に戻るまでに数十年かかるかもしれない。大量倒産が起きれば、失業者数が大量に増える。他の地域と同様に欧州も、そのような事態を非常に恐れ、強く警戒しているのだ。

これから何カ月かの間、失業問題はさらに悪化するだろう。理由は単純だ。持続可能な経済復興が本格的に始まらない限り、失業問題が大きく改善することはあり得ないからだ。ワクチンまたは有効な治療方法が見つかるまでは、本格的な経済復興も期待できない。それまで多くの人が二つの大きな不安を抱えることになる。一つは、職を失う不安。もう一つは、もし失った場合に次の働き口を見つけられない不安（この二つの不安が貯蓄率の大幅の上昇につながる）だ。その少し先（数カ月から数年先）を見通すと、パンデミックの影響で求人件数が激減する中で、二種類の労働者がとくに求職難のあおりを大きく受けるだろう。社会人になりたての若い働き手と、ロボットに取って代わられる可能性がある職種の労働者だ。彼らが直面する問題は、今後の経済、社会とテクノロジーが将来の労働形態にどのような決定的影響を及ぼすかを考える上で、根本的な課題をいくつか浮き彫りにしている。その中でもとくにオートメーションは、喫緊の課題だ。技術革新が長期的に見て経済に常にプラスの影響を与えることは広く知られている。その議論の本質部分をオートメーションに当てはめてみると、次のようなことが言える。オートメーションは既成の労働環境を一変させる破壊力がある。しかし、これを導入すれば、生産性は大幅に向上し、富が増え、ひいてはそれがモノやサービスの需要を拡大させ、その需要に対応するために新しい仕事が生まれる。確かにこの見方は正しい。しかし問題は、現在とその未来の間はどうなるのかということだ。

パンデミックに誘発された景気後退は労働者の代替の引き金を引くことになるだろう。肉体労働の多くは、人間に代わってロボットや「スマート」マシンが引き受ける。こうした労働者の代替が広がれば、労働市場の構造変革が急速に進み、その効果は長期にわたって持続する。パンデミックがオートメーションに及ぼす影響については後ほどテクノロジーの章で詳述するが、労働市場の変革が加速していることを証明するエビデンスはすでに数多く揃っている。代表的な事例の一つとして、コールセンターで起きていることを見てみよう。

パンデミックが発生する以前から、新しい人工知能（ＡＩ）技術が徐々に導入され、人間が行っていた単純労働の自動化が始まっていた。新型コロナウイルス感染症による危機の勃発と、合わせて広まったソーシャルディスタンシングが、画期的なプロセスの導入や技術革新の開発ペースを急加速させた。チャットボット（アマゾンがアレクサに採用している同じ音声認識技術を応用することが多い）をはじめ、これまで人間が行っている作業に取って代わるソフトウェアの導入が急速に広まっている。衛生対策などの必要に迫られて開発が進むこうしたイノベーションによって、近い将来、数十万人、ひょっとすると数百万人もの雇用が失われることになるだろう。

消費者もそのうち、対面でのやりとりよりも、自動化サービスを好むようになるかもしれない。すでにコールセンターで起きていることがいずれ他の業界にも飛び火するだろう。そうしていくうちに、「オートメーションに対する不安」が再び呼び起こされる。[*32] そして景気が後退するとその不安はさらに増幅される。自動化技術はこれまで、直線的な進化プロセスを経たことは一度もない。常に波があり、経済状況が厳しくなると開発が進む傾向がある。企業の収益率が下がれば、人件費の負担が相対的に上がるからだ。すると、経営者は労働生産性を高めるために、熟練した技能をさほど必要としない業務に従事している従業員の仕事を自動化しようとする。[*33] 真っ先に対象になるのが、（食品などの製造業や運送などのサービス業で）定型業務に就いている低所得労働者だ。労働市場はこれから、高報酬の仕事と、消え去ってしまうか、賃金が安くて大して面白くない多くの仕事の間で二極化が進む。新興国や開発途上国（労働人口構成のうちとくに若年層が膨らんでいる国）では、テクノロジーが「人口の配当」を「人口の悪夢」に変えてしまう恐れがある。オートメーションによって、労働者が経済成長というエスカレーターに乗るのが非常に難しくなるからだ。

失われていくものがあれば、次に現れるものがある。人間はそのどちらを思い浮かべやすいかと言えば、それは断然、前者だ。そのため、失われていくものが目に見えて増えていくと、過度に悲観しがちになる。当面は世界中で失業者数が増加していくであろう。それは分かっているし、理解もできる。しかし、これからの何年間から数十年の間に、私たちは驚かされるかもしれない。新しい生産方法が編み出され、画期的なツールが開発され、これまで見たことがない大きなイノベーションと創造性の波が押し寄せてくるのを目撃する可能性があるからだ。また今後、何十万という新しいミクロの産業が世界中で爆発的に増殖し、何十億人分の雇用を創出するようになる可能性だってある。どのような未来が待っているかは当然誰にも分からないが、唯一言えるのは、その多くは今後の経済がどのような成長軌道をたどるかにかかっているということだ。

1.2.2.3 将来の成長予想図

現時点の予想では、ポストコロナ時代の経済成長率は、過去数十年に比べてかなり低い水準にとどまり、それが「ニューノーマル（新常態）」経済の特徴になりそうだ。経済復興が始まると、四半期ベースのGDP成長率は目を見張るような数字になるかもしれない（もともと非常に低いところから始まるので、それなりの数字になるのは当然だ）。しかしほとんどの国は、パンデミック以前の規模に戻るには何年もかかるだろう。新型コロナウイルスが経済に与えた打撃はあまりにも大きく、多くの国で人口が減少し、高齢化が進んでいること（人口構成は国の「命運」を左右するし、成長の重要な原動力だ）と相まって、そのショックの余波が長期化することが経済回復が遅れるもう一つの要因だ。こうした条件の下では、経済の低成長時代がほぼ確実にやってくる。今後、経済成長に「固執」することが果たして有益なのかと思う人が増えていくかもしれない。そしてそうした人々はいずれ、ＧＤＰの右肩上がり成長を目指すのは、意味がないという結論に達するだろう。

新型コロナウイルス感染症によって多くのものが寸断されてしまった今、社会全体がここで一度立ち止まり、本当に価値があるものは何かを冷静に見つめ直す契機が訪れた。パンデミックで打撃を受けた経済を救うために、さまざまな緊急対策が取られている。今こそ、経済をより公平で環境に優しい形に生まれ変わらせる制度の変更や、その方向に向かって加速できるようにする政策を選択するチャンスだ。たとえば、第二次世界大戦が終結してから何が起きたかを考えてみよう。終戦後の数年間は、従来の考え方や枠組を抜本的に見直す期間にあてられた。その結果、さまざまな国際組織の創設につながった。ブレトン・ウッズ体制が確立し、国連が誕生し、ＥＵに向かう制度が発足し、福祉国家が増えた。こうした大転換が実際に可能であることを、歴史が教えてくれている。

そこで、今後を占う二つのポイントについて考えてみたい。(1)これからの取り組みの進捗を示す新しい羅針盤はどのようなものにするべきか？　そして、(2)寛容で持続可能な経済を実現するための新しい原動力となるものは何だろうか？

最初の質問については、まず全世界の指導者が、この惑星全体とそこに住むすべての市民の幸福により重きを置き、それを実現することが優先すべき行動目標であるという考え方になる必要がある。国家統計は歴史的に、課税対象者や自国の兵力について政府がより深く理解するための数値データとして主に使われてきた。1930年代に入って民主主義が強まるにつれ、国家統計は国民の経済的福祉を測るデータとしても用いられるようになった[*34]。ただし、そうした統計は、あくまでGDPを計算するために用いられた。その後、経済的福祉は、国の総生産と総消費と同義だと見なされるようになった。しかし、その時でも、資源が将来も利用できるかどうかという配慮はまったくなされなかった。政策立案者が経済的繁栄を示す物差しとしてGDPに頼りすぎるようになり、結果的に自然や社会的資源が枯渇する一因となった。

経済の発展状況をより正確に測定するには、他にどのような指標を加えるべきだろうか。一点目として、まずGDPそのものの考え方を一新する必要がある。具体的には、デジタル経済と無償労働がそれぞれ生み出す価値を加えなければならない。同時に、特定の経済活動を通じて破壊されてしまった可能性がある価値も考慮されなければならない。たとえば、家事労働の価値が計算に含まれていないことは長年の課題であり、その測定の枠組を作る研究が必要だ。経済のデジタル化が広まって、ＧＤＰに反映される経済活動と実際の経済活動の間のギャップがますます大きくなっている。さらに、特定の金融商品は、価値を生み出す経済活動としてＧＤＰの対象に含まれているが、実態は単に価値を一つの場所から違う場所に移し替えているだけであり、時には価値を壊しているとも言えるのだ。

二点目として、経済のどの部分を重視すべきかを考え直す必要がある。経済にとって重要なのは、全体の規模だけでない。利益がどのように分配されているか、そして活動機会が以前よりもどれだけ得られやすくなったか、という視点で経済の進化を測ることも同様に大切だ。多くの国で所得の不均衡がこれまで以上に問題視されている。技術革新が、持つ者と持たざる者の二極化を加速している。ＧＤＰまたは一人当たりＧＤＰなどは、個人の生活の質を示す正確な指標としては有効でなくなりつつある。今日の格差社会の根深さを測る重要な指標は富の不平等であり、これをより体系的に追跡するべきだ。

三点目として、経済の回復力（レジリエンス）をより正確に測定し、経済の本当の健全性を測る指標として注視する必要がある。レジリエンスの測定項目には、生産性を決定するさまざまな要因が含まれる。それは、組織であり、インフラであり、人的資本やイノベーションのエコシステムだ。つまり、一つの経済システムの総合力を維持、強化するために不可欠なすべての要素がその中に含まれる。さらに、経済が危機に直面したときに政府が財政出動できるようにする資本準備も、金融資本、物的資本、自然資本や社会資本などのカテゴリーに分け、体系的に管理する必要がある。自然資本と社会資本はとくに測定するのが難しい項目だが、国の社会的一体性や環境の持続可能性を測るには重要な要素であり、過小評価すべきではない。この面については、一部の学術グループの間で、官民両方のデータを合わせて、より正確に測定しようとする試みが始まっている。

政策立案者が力点を置く項目が変化してきたことを示す実例も出てきた。2019年に、『世界幸福度報告』で上位10カ国の一つに数えられたニュージーランドが「幸福予算」と呼ぶ新しい予算の枠組を創設したのも、単なる偶然ではない。ジャシンダ・アーダーン首相が、この予算を精神衛生、子どもの貧困や家庭内暴力といった社会問題に対処するために使用すると決定したことで、幸福が初めて公共政策の達成目標の一つに組み込まれた。GDPが増えても、生活水準や社会福祉の向上を保証するものではない。首相の英断は、誰もが何年も前から気づいていたことを国政の場で明確にした事例として特筆に値する。

その他にも、複数の機関や組織（市当局から欧州委員会まで含まれる）が、私たちの物理的要求を満たすレベルをこの惑星が許容できる範囲までとすることで、将来の経済活動の持続可能性を維持しようとする動きを見せている。アムステルダム市は、この考え方をポストコロナ時代の出発点となる公共政策を決定する基準として正式に導入することを自治体として世界で初めて公表した。

この概念を図で表すと、「ドーナツ」の形に似ている。内側の輪は、私たちが幸せに暮らすために最低限必要なもの（国連で採択された持続可能な開発目標（ＳＤＧｓ）に明記されている内容）を表している。外側の輪は、地球システム科学を専門とする研究者たちが定義する生態学的境界（気候、土壌、海洋、オゾン層、真水や生物多様性などの地球環境に悪影響を及ぼさないようにするために、人間の活動が絶対に超えてはいけない一線）を表している。この二つの輪の間にあるのがスイートスポット（ドーナツの中身の部分）で、人間が必要とするものをこの惑星が受け入れられる範囲を示している。[*35]

「ＧＤＰ成長絶対主義」はいつか終焉を迎えるのかどうかは分からない。しかし、このパンデミックは、広く定着していた社会規範の多くを覆し、私たちに考え方を改める機会を提供している。その機会が今後も加速度的に増える可能性を示唆するさまざまな兆候も見られる。私たちの幸福度は、一人当たりＧＤＰで定義されるある富のレベルだけでは正確に測れない。もし私たちが、幸福度により大きな影響を与える要素が他にあることを広く認識すれば、つまり、幸福かどうかを左右するのは物的消費の多さよりも、利用可能な医療サービスの充実度や社会構造の安定性といった無形の要素だと気づけば、多くの人々が環境を尊重し、節度のある食べ方を心掛け、他人に共感し、寛容に振る舞うことに、より大きな価値を見出し、これらが新しい社会規範の特徴になっていくかもしれない。

現在直面している危機だけではなく、数年前から、生活水準の向上に果たす経済成長の役割は、その背景によってさまざまに異なってきていた。高所得国では1970年代から、生産性の伸び率が徐々に低下し続けている。長期的な成長軌道に戻す明確な手立てがいまだに見つからないという議論も出ている。[*36]生産性を伸ばすことができた国でも、その果実の分配に偏りがあり、所得の最上位に位置する一握りの大金持ちに回っている。政策立案者がより効果的にアプローチするには、福祉の向上を図るためにより直接的に介入することかもしれない。[*37]一方、低中所得国では、大きな新興市場が成長することで、何百万もの国民が貧困から抜け出してきた。成長促進策として効果がある政策オプション（たとえば、基本的なひずみを是正する対策など）はすでに広く知られているが、製造業が牽引役を果たす経済発展モデルは、第四次産業革命によってその効力を急速に失いつつあり、新しい取り組みを早急に見つける必要に迫られている。[*38]

前述の議論は将来の成長に関する二つ目の問いにつながる。もし経済成長の方向性とその質的内容に、成長のスピードと同じ（またはそれ以上の）重みがあるとするなら、何がポストコロナ時代の経済を質的によりよい方向にシフトさせる新しい原動力になり得るのだろうか。より寛容で持続可能な経済に向けて、弾みをつける環境を提供するかもしれない分野がいくつかある。

環境に優しい経済は、グリーンエネルギーへの移行、エコツーリズムの推進や循環経済の構築など、さまざまな方法で実現可能だ。たとえば、生産と消費を従来の「資源の投入、生産、廃棄」モデルから「復元可能、再生可能に設計」する方式[39]に切り替え、耐用年数に達した製品を再び使えるようにすれば、資源を節約でき、廃棄物を最小限に抑えることができる。この方式の効用は、各製品の価値をさらに高めるだけにとどまらない。イノベーションが進み、新しい雇用を生み、究極的には、経済成長にもつながる。現に、これまでより寿命の長い修復可能な製品（電話や自動車からファッションに至るまで）の開発に力を入れるメーカー、その方向に戦略的に進もうとする企業（アウトドア向けのアパレルブランドであるパタゴニアは、無償修理サービスまで展開している）や中古品の売買に特化したプラットフォームを立ち上げる事業者が急速に増え始めている。[40]

社会的経済は、看護・介護、個人的サービス、教育や保健の各分野で雇用を生み出している成長著しい業態に広がっている。保育や高齢者の介護、その他のケアサービスを提供する業界への投資は、アメリカだけで1300万人、先進7カ国全体では2100万人の雇用を生み、調査対象国のGDP成長率を平均2％押し上げる効果があると試算されている。[41] 教育も有望な産業だ。とくに初等、中等教育や高等学校、専門学校、職業訓練校、大学や社会人講座など、多岐にわたる教育現場で必要になる人材の数を合わせると、雇用創出に大きく貢献できる分野だということが分かる。保健分野は、インフラの整備、イノベーションの促進、そして人的資源の発掘などに巨額の追加投資が今後求められる。その必要性は今回のパンデミックが証明したところだ。ここに挙げた三つの分野はいずれも、雇用を数多く創出し、社会に長期的な恩恵をもたらす可能性を秘めており、その大きな潜在力をいかんなく発揮すれば、社会の平等、社会的流動性や包括的な成長を加速させる何倍もの効果が期待できる。

生産、流通、ビジネスモデルのイノベーションにより、効率が向上し、より付加価値の高い新製品開発や製品改良が進み、そこからまた新たな雇用が生まれ、経済的繁栄につながっていく。市場の在り方や市場が経済や社会に果たす役割を根本から見直し、公共セクターを方向転換させ、商業革新を促すインセンティブも組み合わせるなど、各国政府がより包括的で持続可能な経済の構築に向けて、独自にできることは数多くある。必要なのは、上記で挙げたフロンティア市場への投資を意図的に強化することであり、投資先をさまざまな業態に分散することだ。とくに資本を投入すべきは、その市場で成功している事業者に経済や社会を変革するだけの潜在力はあるものの、十分に機能するために必要な前提条件がまだ揃っていない分野だ。たとえば、製品または資産を持続可能な方法で量産する技術的なキャパシティが不十分であったり、規格や基準がまだ明確に定まっていなかったり、法整備の余地がまだ残っていたりするといったことである。こうした新興市場のルール作りやメカニズムの確立が進めば、経済を変革する大きな影響力を持てるようになる。もし政府が経済を新しい、より良い方向に成長させたいならば、こうした分野のイノベーションと創造的な活動を加速させるインセンティブを今すぐにでも政策に反映させるべきだ。

その一方で、「脱成長」を求める声が一部（少なくとも富裕国）から上がっている。ＧＤＰのゼロ成長またはマイナス成長を良しとする考え方だ。経済成長に批判的なグループが影響力を強め、主流派を形成するようになれば、大量消費主義が広く浸透している官と民の両方で財政や文化基盤が全面的に見直されることになるだろう。[*42] 一部のニッチ市場では(たとえば、肉の消費量や飛行機に乗る回数を減らすことを訴える)消費者主導の脱成長運動もすでに始まっている。脱成長を強いる期間をもたらしたパンデミックは、経済成長のペースを逆に遅らせようと呼びかけるこの運動が再評価されるきっかけを作った。2020年5月、この流れを象徴するマニフェストが発表されている。新型コロナウイルス感染症によって引き起こされた経済と人類の危機に立ち向かう方法論として脱成長戦略を打ち出したこのマニフェストには、世界各地の1100人を超える専門家が名を連ねた。彼らは、公開書簡を通じて「経済を計画的でありながらも、その時々の状況に適応しながら、持続可能な方法で公平にスケールダウンしていき、少ないモノでより豊かに暮らせる未来」を民主的に切り開いていくことを提唱している。[*43]

しかし、脱成長をむやみに追い求めないよう、注意しなければならない。方向性が見えないまま追求してきた経済成長と同じ轍を踏むことになるからだ。最も先を見据えた国とその政府は、経済を運営し、その状態を測定するにあたり、新たな雇用を生み出し、生活水準を向上させ、地球環境を保護することも視野に入れた、より包括的で持続可能なアプローチを取ることを優先する。より少ない労力でより多くのことをできるようにする技術はすでに存在している。[*44] もし私たちが、環境や社会に優しいフロンティア市場の成長を測る方法を明確に定め、その成長を加速させる投資を奨励する、より包括的で長期的な取り組みに挑むようになれば、経済的、社会的、環境的要因の間に根本的なトレードオフはないのである。

1.2.3 財政・金融政策

このパンデミック危機に対応するために、これまでに打ち出された財政・金融政策は総じて、断固たる姿勢を示す大規模な内容で、素早く決断されたものであった。

国際的に重要な影響力を持つ国の中央銀行は、パンデミックの発生後ほとんど間を置かず緊急利下げに踏み切った。大規模な量的緩和策も打ち出し、政府の資金調達コストを抑えるのに必要な紙幣を増刷する用意があることを表明した。米連邦準備理事会（ＦＲＢ）は国債と政府機関保証付き不動産担保保証券を購入し、欧州中央銀行（ＥＣＢ）は、域内の政府が発行するあらゆる金融商品を買い入れることを約束した（その結果、ユーロ圏内の経済的に強い国と弱い国の借入コストの格差を小さくすることに成功した）。

同時に、ほとんどの国の中央政府は過去に例のない大胆な財政政策を打ち出した。パンデミック発生後の非常に早い段階に矢継ぎ早に実行された包括的な緊急対策には、具体的に三つの目標が掲げられた。(1)費用がどれだけかかろうと、パンデミックの早期封じ込めに向けて全力で取り組むこと(検査を増やし、医療機関の対応能力を強化し、新薬やワクチンの研究開発を推し進めるなど)、(2)破産や崩壊寸前の世帯や企業へ緊急援助を提供すること、そして(3)経済の活性化に向けて、その潜在力を可能な限り引き出せるよう、需要全体を押し上げること。[*45]

こうした対策は、巨額の財政赤字につながる。先進国では赤字がGDPの30%に達する公算が高い。世界全体に目を向けると、各国の景気刺激策に投じられる公的資金の総額は、2020年のグローバルGDPの20%を超える見通しだ。国別では、最も高いドイツの33%から最も低いアメリカの12%超までと、かなり開きがある。

このような財政支出の拡大は、先進国か新興国かによって意味合いが大きく違ってくる。高所得国の場合、多額の負債を抱えても、国家を持続可能な状態で運営し、将来世代の福祉も維持できるだけの財政の余力があるが、低所得国はそうはいかない。理由は二つある。先進国では、(1)中央銀行が低金利を維持するために必要な国債を無制限に買い入れることを約束している、(2)予見可能な将来にわたって低金利が続きそうだという信頼感がある(不透明な状況が続くと民間投資が冷え込み、予備的に貯蓄に回す正当性が高まる)。それに対して、新興国や開発途上国の場合は、パンデミックのショックが危機的状況に直結する。大半が、その危機に立ち向かうだけの財政的余裕がないからだ。すでに大量の資本流出や商品相場の下落に苛まれており、その苦しい状態の中で財政支出の拡大を打ち出すと、為替市場で自国通貨が暴落する危険さえある。そのような状況下では、補助金の支給、債務救済措置の施行、そして可能であれば返済猶予も含め、すぐに手を打つ必要がある。[*46]これは単に必要というだけでなく、極めて重要な政策である。

これらは、未曾有の事態に対応する未曾有の対策だ。経済学者カーメン・ラインハートはこれを「何がなんでも現状を直ちに打開しようとする、既成の枠を超えた大規模な財政・金融政策[*47]」と呼んだ。景気後退が壊滅的な恐慌につながらないように各国政府が懸命に防止策を施しているが、こうした施策はどれも、パンデミックの前には思いもつかないような内容だ。しかし今後、こうした対策が世界中どこに行っても当たり前の光景になるかもしれない。新型コロナウイルスの影響で引き起こされる大量解雇や企業倒産を食い止めるか、その連鎖を断ち切るために、今後ますます政府に「最後の支払者[*48]」としての役割を求める声が高まるだろう。

このような変化によって、これまでの経済・金融政策「ゲーム」のルールは変更されざるを得なくなった。金融当局と財政当局は互いに独立した機関として機能してきたが、その間にある壁は取り壊されてしまった。今や、中央銀行は、国民に選ばれた政治家たちを（ある一定の程度まで）補佐する従属的な組織と化している。今後は、政府が中央銀行に影響力を行使して、大規模な公共事業、たとえばインフラ整備基金や環境投資基金などの資金調達に協力するよう求めることも考えられる。同様に、労働者の雇用や所得を守ったり、企業の倒産を防いだりするためなら政府が民間の問題に介入しても構わないという考え方は、現在の政策が終了しても残るかもしれない。また、状況が改善した後も、これらの政策を継続すべきだという世論や政治の圧力は弱まることはないだろう。これから最も懸念されるのは、金融と財政の暗黙の協力が続くと、制御不能なインフレが起きるかもしれないということだ。この懸念の根本は、政策立案者が巨額の財政刺激策の財源を、従来の標準的な国債の発行で調達するのではなく、中央銀行に紙幣を刷らせて、それで賄おうとする考え方だ。この議論の先にあるのが現代貨幣理論（ＭＭＴ）とヘリコプターマネーだ。ゼロに近い超低金利が続くと、中央銀行が景気を刺激しようにも、従来の金融緩和（すなわち利下げ）は効かない。マイナス金利をさらに深掘りすれば別だが、ほとんどの中央銀行は問題が大きいとして抵抗している。[*49] とすれば、超低金利時代に景気を刺激しようとするなら財政赤字を拡大させる（つまり税収が減っている時に歳出を増やす）しかない。ＭＭＴがどのように機能するかを最も簡単な（この場合は過度に単純化した）言葉で説明すると、こうだ。政府が発行する国債を中央銀行が買い入れる。もし、中央銀行がこの国債を売り戻さないことにすれば、これは財政ファイナンスと同じだ。つまり財政赤字を中央銀行が埋める（政府が発行する国債を中央銀行が直接引き受ける）ことになる。そして政府は、その資金を何にでも自由に使えるようになる。たとえば、資金を必要とする者に広く、比喩的に言えばヘリコプターからばらまいてもいい。このアイデア自体は一見魅力的で、実際に実現もできる。しかし、この方式は社会の期待を大いに膨らませるあまりに、政治のコントロールが効かなくなる恐れがある。国民がこの「金のなる魔法の木」の存在にいったん気づけば、自らの票で政界に送り込んだ代議士に、その魔法の木にもっと多くのお金を実らせるよう求め始める。日増しに強まる支持者からの猛烈で容赦ない圧力に屈した政治家たちがその要求を国政に反映させるようになると、やがてインフレの問題に行きつくだろう。

1.2.3.1 デフレ、それともインフレ？

財政ファイナンスの問題には、インフレリスクに結びつく二つの技術的要素がある。一つ目は、政府が発行した債券を中央銀行が買う時点で、必ずしも量的緩和（すなわち財政ファイナンス）を継続すると決める必要はないということだ。「金のなる木」があることを隠すか、そこから目を逸らすことができるようになるまで判断を先送りすることもできる。二つ目は、「ヘリコプターマネー」のインフレ圧力は、財政赤字を中央銀行が引き受けるか引き受けないかとは関係ないということだ。圧力は、ばらまかれる金額に比例する。中央銀行が刷ることができる紙幣の総額には名目的な限度はない。しかし、過度のインフレリスクを冒さずにリフレ（デフレを脱してインフレには至らない状態）を達成するにはどれだけのお金を刷ればよいかという時には、道理に適った限度を設ける必要がある。リフレ政策の結果として生まれる名目ＧＤＰの増加は、実質生産効果と物価上昇効果に分けられる。このバランスとそれぞれがどれほどインフレを誘発するかは、マネーの供給にどれだけ厳しい制約があるかによるので、究極的には、新たに刷られる紙幣の総額にかかっている。中央銀行はそれぞれの国の状態を見て、2％や3％のインフレなら心配無用、4％から5％になっても大丈夫だと判断するかもしれない。しかし、どこまで上がれば混乱が起き、重大な懸念が生じるかを見極めて、上限を設けなくてはならなくなる。問題は、その一線をどこに引くかだ。どこまでのインフレなら、経済に悪影響が出ず、消費者に強迫観念を植え付けずに済むのだろうか。

今のところは、デフレを警戒する向きもあれば、インフレを心配する者もいる。将来に対する見方が分かれる背景には何があるのだろうか。デフレを恐れる人たちは労働市場の崩壊と物価の下落を懸念材料に挙げ、この状況ではインフレが近いうちに起きるなどあり得ないと見る。一方、インフレを不安視する人たちは、中央銀行のバランスシートの膨張と財政赤字の大幅な増加を憂慮し、このまま行けば必ずインフレになり、さらにハイインフレ、ハイパーインフレと進むことを懸念している。彼らの脳裏には、第一次世界大戦後のドイツで1923年に起きたハイパーインフレが戦争債務を帳消しにしたこと、またイギリスが第二次世界大戦下で生じたGDP比250％という巨額の政府債務を、緩やかなインフレで減らしていったことが焼きついている。こうしたインフレ懸念派は、短期的にはデフレの方がより大きなリスクかもしれないことを認めつつも、景気刺激策で投入された桁外れの額を考えると、インフレはもはや避けられないと主張する。

現時点では、近いうちにインフレが起きるとは想像しにくい。海外に移した生産拠点を自国に戻すことで、製造業が間欠的なインフレの波を起こすかもしれないが、それは限定的なものにとどまるだろう。全体の構造に長期にわたって強い影響を及ぼす高齢化やテクノロジー（どちらも本質的にはデフレ要因だが）と、この先何年も賃金の上昇を抑えることになる高い失業率が相まって、インフレに強い下方圧力が加わる。ポストコロナの時代には、消費者需要が強まることはおそらくあるまい。失業が広がり、人口の大部分が所得を減らし、将来を見通せない不安が増大すると、慎重に貯蓄を増やす可能性が高い。ソーシャルディスタンシングがいずれ緩和されたときには、それまで抑えられていた需要が表面化して、緩やかなインフレを引き起こすかもしれないが、それは一時的なもので、専門家が予想するほどの物価上昇にはつながらないだろう。元IMFのチーフエコノミスト、オリヴィエ・ブランチャードは、次の三つの要素の組み合わせのみがインフレを生み出すと見ている。(1)政府債務の対GDP比率が非常に高くなる（現在予想されている20〜30％をはるかに超える）、(2)中立金利（経済の潜在力を維持するために必要な金利）が非常に大きく上昇する、そして(3)金融政策を財政当局が支配する。[*50] 個別に見ると、それぞれの確率は低い。したがって、この三つの現象が同時に起こる確率もさらに低い（ただ、ゼロではない）。債券投資家も同じような見方をしている。もちろん変わる可能性もあるが、名目金利と実質金利のわずかな金利差を見る限り、インフレになったとしても、今と同じように非常に低いまま推移するだろう。

今後数年の間に、高所得国は、日本が過去数十年の間に経験してきたこと（構造的な需要の弱さ、デフレと超低金利）とよく似た状況に直面するかもしれない。「ジャパニフィケーション（日本化）」はしばしば、主に高所得国で成長もしなければインフレも起こらないが、耐えがたい額の借金を背負うという絶望的な組み合わせとして描かれる。しかし、その描き方は誤解を招く。データを日本の人口構成に当てはめてみれば、日本はほとんどの国よりも健全であることが分かる。一人当たりの実質ＧＤＰは高く、今も伸びている。２００７年以降の生産年齢人口の一人当たりの実質ＧＤＰは、先進７カ国のどの国よりも伸び率が高い。当然ながら、これには多くの特異な理由がある。非常に高いレベルの社会資本と信用があり、平均を上回る労働生産性の成長率を維持し、高齢者をうまく労働人口の中に取り込んでいる。日本を見れば、人口減少が必ずしも経済力の低下に結びつかないことが分かる。日本の高い生活水準や幸福度の指標は、経済的な困難に直面しても、希望をなくす必要はないことを教えてくれるのだ。

1.2.3.2 米ドルの宿命

何十年もの間、アメリカは世界の準備通貨を発行する国として「法外な特権」を欲しいままにしてきた。「巨大帝国の権力と錬金術経済という特典」[*51]付きの地位を堅持してきたのだ。アメリカの類まれな国力と繁栄のほとんどは、ドルに対する国際的な信認とこの通貨を（多くの場合、米国債の形で）保有してもいいと考える世界中の人々によって支持され、強化されてきた。それほど多くの国や外国機関がドルを価値の保存手段として、また（貿易のための）決済手段として保有したがるという事実が、ドルの準備通貨としての地位を盤石のものにしてきた。こうした特権があるからこそ、アメリカは、海外から低コストで資金を借り入れ、国内では低金利の恩恵を享受できる。アメリカ人が収入以上に消費できていたのもこのためだ。それはまた、米政府が巨額の財政赤字や、大きな貿易赤字を続けることも可能にしてきた。為替リスクは軽減され、国内の金融市場ではドルがあふれた。準備通貨としての地位の核心にあるのは、ドルに対する絶大な信頼である。つまり、米ドルに関する限り、世界の金融システムに対してドルを効果的かつ迅速に供給するなどで、アメリカが自国通貨を適切に管理して（自国の経済も適切に運営して）自分たちの利益も、米ドルを保有するその他の国の利益も一緒に守ってくれると信じているということだ。

かなり長い間、一部のアナリストや政策立案者の間では、準備通貨としてのドルの地位が徐々に終焉を迎えるのではないかと考えられてきた。彼らは今では新型コロナウイルスの感染拡大が、自分たちの正しさを証明するきっかけになるかもしれないと見ている。彼らの主張は、信頼の対象を二つに分けて整理できる。

一つは、経済を適切に管理することに対する信頼だ。ここでは、アメリカの財政状況が急激に悪化していることを、ドルの支配に疑問を抱く理由の一つに挙げている。政府の債務が持続不可能な額に達していることを考えれば、やがてはドルに対する信認が失われるという。パンデミックが発生する直前、アメリカの国防支出と国債の利払い、それにメディケア、メディケイドや社会保障などの給付金の総額は、連邦税収額の112％に上った（2017年は95％だった）。この持続不可能な道は、パンデミック後の時代、救済政策が終わった後にはさらに険しくなる。この議論は、今後アメリカが大きな方針転換をしない限り、他の国の投資家がこれ以上資金を出したくないと思う一線を越える恐れがあることを示唆している。その大きな方針転換とは、たとえばアメリカが地政学上の影響力を大きく縮小するか、増税に踏み切るか、あるいはその両方を指している。準備通貨という地位は、結局のところ、ドルを保有する人々の支払い能力を保証することによってしか、維持できないからである。

もう一つは、世界のその他の地域のためにドルが適切に管理されるという信頼についてだ。アメリカ国内で高まりを見せる経済ナショナリズムが、準備通貨としてのドルの支配的地位を危うくするという見方がある。米連邦準備理事会（ＦＲＢ）や米財務省は、ドルとその影響下にある世界中のネットワークを有効に管理している。しかし、懐疑派は、米政権が地政学的な目的でドルを武器として使っていくのではないかと考えている（たとえば、イランや北朝鮮の貿易相手国や企業に対してドルを制裁手段として使う）。こうなると、ドルを他国通貨へ乗り換えることを促進することになると強調する。

では、他にドルに代わる準備通貨になりそうなものはあるだろうか？　アメリカは依然として恐ろしいほど強力な金融覇権国だ（一見すると、国際貿易におけるドルの絶大な存在感が際立つが、実はドルが国際金融市場で果たしている役割の方がはるかに大きい）。だが、多くの国がドルの世界的優位性に挑戦したいと思っているのも事実だ。とはいえ、短期的にはドルの代わりになる通貨はない。中国の人民元はいずれ一つの選択肢になるかもしれないが、それは中国が厳しい資本規制を廃止し、人民元の相場が市場で決定されるようになるまでは無理だし、近い将来にそうなることもなさそうだ。同じことがユーロにも言える。ユーロが選択肢の一つになるには、ユーロ圏が崩壊する懸念を完全に払拭することが絶対条件だが、ここ数年でそれを実現できる見通しはない。グローバルに使われている仮想通貨については、まだどれも視界に入ってこない。しかし、国が発行するデジタル通貨を導入する試みは確かにある。そしてどれかがいずれ、長く君臨してきた王座からドルを引きずり下ろすかもしれない。その点では、中国で最近、非常に画期的な試みがあった。2020年4月末にデジタル人民元の試験的運用が国内4都市で開始されたのだ[*52]。中国は強力な電子決済プラットフォームと組み合わせたデジタル通貨の開発で、どの国よりも数年先を走っている。この実験は、デジタル化のさらなる普及を目指した取り組みの一つであるだけでなく、ドルの決済システムに代わる通貨制度があることを明確に世界に知らしめる動きとしても注目に値する。

最終的にドルが世界一の通貨としての役割を終える日が来るとしたら、それがいつになるかは、アメリカ国内の動向にかかっている。ヘンリー・ポールソン元米財務長官は次のように述べている。「米ドルの突出した力の源泉はアメリカ国内にある。（中略）アメリカは世界中の信頼と信認が得られる力強い経済を維持しなければならない。そうしなければ時間が経つにつれ、ドルの地位は危うくなるだろう」[*53]。アメリカが世界中から勝ち取っている信頼はまた、地政学的な影響力と社会モデルの魅力によるところが大きい。ドルの「法外な特権」は、アメリカのグローバルパワー、信頼できるパートナーとしての各国の認知、そして国際機関の活動の中で発揮される大きな役割が複雑に絡み合ってこそ可能なのだ。経済学者のバリー・アイケングリーン米カリフォルニア大学バークレー校教授は、欧州中央銀行（ＥＣＢ）の代表たちと共にこう警告する。「アメリカが地政学的な世界地図から身を引き、より単独で行動する傾向を強め、内向きの政策を取り始めている。その結果、アメリカがこれまでの役割を全うできるかが国際社会から不安視されたり、安全保障の要としてのアメリカの確固たる地位が揺らぎ始めたりすると、ドルがこれまで享受してきた保険料としての価値は低下していくだろう[*54]」

ドルがこの先も世界の準備通貨としてのステータスを維持できるかを疑問視する声が挙がるということは、経済が孤立した状態で存在するものではないことを改めて気づかせてくれる。こうした現実は、過剰債務（多くの場合はドル建て）を抱え、それを返済することができない新興国や貧困国にはとくに厳しい。こうした国々がこの危機を克服するためには、巨大な資金源と長い歳月が必要になるだろう。その過程で被る大きな経済的ダメージが、社会的、人道的な問題を引き起こす。高度先進国、新興国、開発途上国がより緊密に連携し合い、緩やかに結束していこうとする中、新興国や貧困国では新型コロナウイルスによる危機がこのプロセスを終わらせてしまいかねない。もしそうなれば、社会的や地政学的なリスクが増大することになる。経済リスクがいかに社会問題や地政学に大きく影響するかを痛烈に思い知らされる結果となるだろう。

1.3 社会的基盤のリセット

歴史的に、数多くのパンデミックは社会そのものを試す試金石であった。2020年の新型コロナウイルス感染症も例外ではない。この感染症によって、経済や地政学的な激動にも匹敵する大きな変動が社会そのものにももたらされた。この混乱は今後何年も、ことによると何十年にもわたって続くだろう。こうした状況ですぐに出てくる明らかな影響は、多くの政府が批判されるということだ。パンデミックへの対応で能力や準備の不足を露呈した政策決定者や政治家に怒りの矛先が向けられる。アメリカの元国務長官、ヘンリー・キッシンジャーはこう述べた。「国民が一枚岩となって国家が繁栄するには、政府が災難を予見し、影響を食い止め、平安を回復できると信じられていればこそだ。新型コロナウイルスのパンデミックが終息したときには、多くの政府が対応に失敗したと見なされるだろう」[*55]。これは一部の豊かな国々にとくに当てはまる。進んだ医療制度、研究、科学技術、イノベーションの資産を十分に持ちながら、他国に比べて対応がかくもお粗末だったのはなぜなのかを、国民に問われることになる。そうした国では、社会構造と社会経済システムの本質が浮き彫りとなり、それが多数の国民の経済的・社会的福祉を保証できなかった「真犯人」だと糾弾されるかもしれない。より貧しい国では、今回のパンデミックによって社会コストの面で大きな犠牲を強いられるだろう。コロナ危機が、従来の社会的課題、とくに貧困、不平等、政治の腐敗を悪化させ、場合によっては社会活動(個人や集団間の交流)および社会基盤の崩壊といった深刻な結果を招く可能性がある。

パンデミックの対応で功を奏したこと、失敗したことを通じて、学ぶべき系統立った教訓はあるだろうか。各国の対応を比べてみたら、ある社会や統治システムの強みと弱みが明らかになっているだろうか。一部の国々、とりわけシンガポール、韓国、デンマークなどは、その対応がかなり高い評価を受け、大多数の国と比べてもうまく対応した。他方、イタリア、スペイン、アメリカ、イギリスなどは、準備態勢、危機管理、国民へのコミュニケーション、感染者数と死者数、その他のさまざまな指標で期待を下回っている。国家体制が似ている隣り合った国、たとえばフランスやドイツでは、感染者数こそおおむね同じだが、死者の数は大きく違った。医療インフラに差があることは別にして、何がここまで明らかな違いを生んだのだろうか。新型コロナウイルスが一部の国・地域に大きな打撃を与え、強い毒性を持って広まったのに対し、他の国・地域ではそうではなかった理由については、現時点（２０２０年６月）でも私たちは多くの「未知」に直面している。しかし、総体的に見て、うまく対応できた国には以下のような特質が共通して見られる。

- 政府が来たるべき事態に対し、物資や体制面で「備えて」いた。
- 政府が迅速かつ確固とした意思決定を行った。
- 効率的で包括的な医療態勢があった。
- 政府の指導力とその発信する情報を国民が信頼している「高信頼社会」であった。
- 個人的な希望や欲求よりも公益を重んじ、真の連帯感を示すことが要請されているような社会だった。

一つ目と二つ目のうち技術的なものを除くと（技術性にも文化的要素は内包されているが）、それ以外はすべて「好ましい」社会的基盤の特徴と言うことができる。つまり、包括性、連帯、信頼といった価値観が社会の芯にあることが、感染症の封じ込めに成功するための決定的かつ重要な要素であることを示している。

もちろん、各国で社会基盤のリセットがどのような形で生じるのか、ある程度の正確性をもって示すには時期早尚だが、大まかで包括的な輪郭はすでに描くことができる。とりわけ第一に言えることは、パンデミック後には、富裕層から貧困層へ、そして資本家から労働者への大規模な富の再分配が生じるということだ。第二に、今回のパンデミックは、新自由主義の終焉を告げるものとなりそうだ。新自由主義は、連帯よりも競争、政府介入よりも創造的破壊、社会福祉よりも経済成長を重んじると大まかに定義される概念や政策の集成である。新型コロナウイルス感染症が広がる数年前から、新自由主義の「市場崇拝」を多くのコメンテーターやビジネス界や政界の指導者が非難するようになっていて、最近は衰退傾向にあったが、新型コロナウイルス感染症がその**とどめの一撃**を与えた。過去数年にわたって新自由主義的な政策を最も熱烈に信奉してきた二つの国、アメリカとイギリスでパンデミックの死者数が最も多くなったのは偶然ではあるまい。大規模な富の再配分と新自由主義との決別という二つの流れが同時に生じることで、不平等がもたらす社会不安から、政府の役割の拡大、そして社会契約の再定義に至るまで、社会組織に決定的な影響が生じるだろう。

1.3.1 不平等

新型コロナウイルス感染症についての決まり文句に、「グレート・レベラー（平等にするもの）」[*56]という深刻な誤解を招きかねない比喩がある。現実はまったく逆だ。このウイルスは、発生した場所や時期に関わりなく、不平等をむしろ悪化させてきた。新型コロナウイルスは、医療や経済、社会、心理面のいずれにおいても「レベラー」ではない。実際には所得、富、機会の格差をいっそう悪化させる「グレート・アンイコライザー（不平等を生じさせるもの）」[*57]である。このパンデミックは、世界中に経済的、社会的に弱い立場にいる人々があまりにも多く、そして、場所によって脆弱性の程度や深刻さが異なることを露わにした。社会のセーフティーネットが存在しないか、不十分な国、あるいは、家族や社会のつながりが弱い国においては、こうした現象がさらに多く見られる。このような問題は、言うまでもなくパンデミック前からあったが、他のグローバルな課題でもそうだったように、このウイルスが問題の深刻さを増幅している。そのため私たちは、あまりにも長い間あまりにも多くの人が無視し続けてきた「不平等」の問題がどれだけ深刻かを改めて認識せざるを得なくなっている。

このパンデミックの第一の意義は、社会階層によってリスクの大きさに驚くほどの差があることを浮き彫りにし、社会の不平等というマクロ的な課題を可視化したことだ。ロックダウン中、同じような光景が世界のあちらこちらで見られ、現実が露わになった。そこに浮かび上がったのは二分された世界である。上流や中流階級の人々は自宅でテレワークをし、その子どもたちも自宅で教育を受けられた（まずそれが可能であり、次に、より離れた住まいが安全と見なされたため）。それに対して仕事を持つ労働者階級は、外出を控えることも、自宅で子どもたちの勉強を監督することもできず、人々の命を（直接的あるいは間接的に）救い、経済を動かすために第一線で働いていた。病院を清掃し、レジを打ち、生活必需品を配送し、私たちの安全を守っていたのである。アメリカのような高度に発達したサービス経済では、約3分の1の職業で在宅や遠隔による勤務が可能だ。しかしそこには、業種ごとの所得と深く結びついた大きな格差がある。アメリカの金融や保険業界の従業員の75％以上がテレワークができるのに対し、食品業界でずっと安い賃金で働く労働者のうち、テレワークができるのはわずか3％にすぎない。[*58] パンデミックの最中（4月半ば）には、新型コロナウイルスが多くの人が当初言っていたような「グレート・レベラー」や「イコライザー」から程遠いことが、新規感染者の数と死者の数を見れば明らかだった。このウイルスは不公平で不平等な形で感染を広げている実態が急速に見えてきたのである。

新型コロナウイルス感染症によるアメリカでの死者数は、アフリカ系アメリカ人、低所得層、ホームレスなどの弱者において突出している。ミシガン州では、全人口の15％にも満たない黒人が、新型コロナウイルス感染症の合併症により亡くなった死者の約40％を占めた。黒人社会にここまで偏った影響が出たのは、既存の不平等を反映したものだ。他の多くの国と同様に、アメリカでも、アフリカ系住民は所得水準が低い。失業率も高く、能力に見合わない仕事に甘んじているケースも多く、住居や生活環境も悪い。結果としてアフリカ系アメリカ人は、新型コロナウイルス感染によって重症化しやすいとされる基礎疾患、肥満、心臓病、糖尿病といった持病を抱えていることが多いのである。

パンデミックとロックダウンが明らかにした第二の意義は、生活に不可欠で本質的な価値のある仕事に対し、それに見合う報酬が支払われないという、根深い乖離が明らかになったことだ。言いかえれば、社会が最も必要とする職業の人々に対する経済的評価が最も低いのである。パンデミックによって私たちが気づかされたのは、コロナ危機のヒーローやヒロインたち、感染者を看病し、経済を動かし続けてくれた人々が、最も賃金の低い職種であったという事実だ。看護師、清掃業者、配達員、食品工場や介護施設、倉庫の労働者などである。しかし、彼らの経済的、社会的な貢献は、ほとんど見過ごされている。こうした現象は世界中で起きているが、貧困が不安定な生活に直結するアングロ・サクソン諸国において際立っている。この層に属する人々は低賃金というだけでなく、仕事を失うリスクも最も高い。たとえばイギリスでは、地域で働く介護士の60％近くが「ゼロ時間契約」で働いている。決まった労働時間が保障されていないため、決まった収入の保証もない。食品工場の労働者も同様で、多くは臨時雇いとして働いていて、正規雇用と比べると権利が少なく、保障もない。配送ドライバーに関しては、その労働時間の大部分については雇用関係もなく、賃金は「配達件数」に応じて支払われる。疾病手当も有給休暇もない。こうした現実を、ケン・ローチ監督が最新作『家族を想うとき』で切なく描いている。この映画は、こうした労働者たちが物理的、感情的、経済的な破綻と常に隣り合わせで生きており、その影響がストレスと不安によりさらに波及していく。

パンデミックが終わったら、社会の不平等は拡大するのだろうか、それとも、縮小するのだろうか。多くの事例から、少なくとも短期的には、不平等は拡大することが予想される。前述したように、とりわけパンデミックに苦しめられているのは、無収入や低収入の人々だ。彼らは慢性の疾患を抱えており、免疫力が低下しやすいために、新型コロナウイルス感染症にかかりやすく、重症化しやすい。疫病が発生して数カ月はそのような状況が続くだろう。ペストのような過去のパンデミックにおいてもそうであったように、すべての人が平等に医療やワクチンの恩恵を受けられるわけではない。ノーベル経済学賞を受賞し、アン・ケースとの共著『アメリカにみる絶望死と資本主義の未来』があるアンガス・ディートンはこう述べている。とくにアメリカにおいては、「製薬会社と病院はかつてなく力を持ち、豊かになる」[*59]という。これは最貧困層にとっては望ましくないことだ。さらには、世界中で実行されている超金融緩和政策により、とくに金融市場と不動産で資産価格が上昇し、富の不平等は拡大するだろう。

しかし、当面の危機を乗り越えた後には、風向きが一変し、逆方向へ向かう可能性がある。不平等が是正されるのだ。どうしてそのようなことが起こりうるのだろうか。富裕層のみが優遇されるという露骨な不公平に対して、人々の怒りが臨界点に達し、社会の反発が広がるかもしれない。アメリカでは、多数派や積極的に発言するマイノリティが、医療システムを政府やコミュニティの管理下に置くことを求め、欧州では、医療制度の財源不足がもはや政治的に許容されないという事態になる可能性もある。私たちはついに、パンデミックにより、本当に価値のある仕事とは何かを再考し、社会に不可欠な仕事に従事する人々に社会としてどう報いるか見直さざるを得なくなるかもしれない。空売り専門のスター・ヘッジファンド・マネージャー（経済や社会福祉への貢献はどうひいき目に見ても疑わしい）が数百万ドルもの年収を得られるのに、看護師（社会福祉に明らかに貢献している）はそれと比べれば無にも等しい金額しか得られていない現状を、今後、社会として容認できるだろうか。そうした楽観的なシナリオでは今後、私たちの間で、社会全体の福祉に極めて重要な役割を果たしているのは給与が低く不安定な職に就いている多くの労働者であるという認識が高まり、過酷な労働条件と低い報酬の両方を改善するような政策が取られるようになる。たとえ企業の利益が圧迫され、物価が上昇するとしても、賃金が上がる。不安定な契約と、法の抜け穴を利用した搾取的な扱いから、安定した雇用と充実した職業訓練への転換を求めて、社会的、政治的な圧力が強まるだろう。こうして不平等は縮小する可能性がある。ただ歴史が教えるところによれば、この楽観的シナリオが実現するには、まず大規模な社会の混乱を経なければならない。

1.3.2 社会不安

パンデミックが収束した後、社会が直面する最も深刻なリスクの一つが社会不安だ。極端な場合、社会基盤がばらばらになり、政治が崩壊するかもしれない。仕事を失い、収入もなく、生活がよくなるという展望を持てなくなったとき、人は暴力に訴えがちだという明らかなデータがあるため、このリスクに焦点を当て、警鐘を鳴らす研究や論文は数えきれないほどある。次に引用した文章はこの問題の核心をとらえている。アメリカについて書かれたものだが、その内容は世界中の大半の国にも通用する。

希望を失い、仕事も失い、財産もない者は、簡単に裕福な人々と敵対するだろう。すでに、アメリカ人の30%ほどが財産もなく、むしろ負債を抱えている状態にある。この危機が終わったときに、金も仕事もなく、医療も受けられない人が増え、そうした人々が自暴自棄になって社会に怒りをぶつけたらどうなるか。最近、イタリアで起きた脱獄や2005年のハリケーン・カトリーナの直撃後にルイジアナ州ニューオーリンズで起きた強奪などの光景が日常茶飯事になるかもしれない。もし、政府が暴動や破壊行為の鎮圧に準軍事組織や軍隊の力を使えば、社会は崩壊の道をたどるかもしれないのである。[*60]

パンデミックが世界を覆うかなり前から、社会不安は世界的に増加傾向にあった。すなわち、このリスクは目新しいものではないが、新型コロナウイルス感染症により増幅されているのだ。何をもって社会不安とするのか、いろいろな見方があるが、過去2年間、豊かな国でも、そうでない国でも、世界中で100を超える重要な反政府抗議活動が行われた。[*61]フランスの黄色いベスト運動や、ボリビア、イラン、スーダンなどで起きた反独裁の抗議デモなどである。反独裁運動のほとんどが容赦ない取り締まりにより鎮圧された。また多くの運動が、パンデミック封じ込めのためにロックダウンが実施されて以降は（世界経済と同様に）冬眠している。しかし、集会や抗議デモの禁止が解除された後、これまでの不満や一時的に抑え込まれた社会的不満が、さらに勢いを増して噴出することは想像に難くない。パンデミック後には、失業者、生活困窮者、貧困層、怒れる者、病気や飢えに苦しむ人々の数は大きく膨れ上がるだろう。個人の悲劇が生まれ、失業者、貧困層、移民、囚人、ホームレスなどすべてのとり残された人々の怒りや恨み、苛立ちが煽られる。どうすればこうした圧力が爆発するのを止められるだろうか。社会現象はパンデミックと同じ特徴を示すことが多く、これまで見てきたように、両者にはティッピングポイントという考え方が適用できる。貧困や、当然の権利が奪われている感覚、無力感が一定のティッピングポイントに達したとき、破壊的な社会運動が最終手段としてしばしば選択される。

そうした懸念を共有する著名人が、パンデミックの当初から、社会不安のリスクが高まっていると警告を発していた。スウェーデンの実業家ジェイコブ・ウォーレンバーグもそのひとりで、2020年3月にこう書いた。「この危機が長引けば、経済が20〜30％落ち込む一方、失業率も20〜30％に達する可能性がある。(中略)景気回復はなく、社会不安が生じ、暴力がはびこる。社会経済的な影響もある。それは大規模な失業だ。市民は困窮し、死者が出て、人々は恐怖に苛まれる」[*62]。われわれはすでに、ウォーレンバーグが「懸念される」とした限界点を超えてしまった。多くの国で失業率は20〜30％を超え、2020年の第2四半期には懸念されていた水準を超えてほとんどの国でマイナス成長になっている。今後どうなるのだろうか。そして社会不安はどこで最も発生しやすく、どの程度悪化するのだろうか。

この本を執筆している時点で、新型コロナウイルス感染症による社会不安の波がすでに世界中で広がっている。引き金となったのは、アメリカでジョージ・フロイドの死をきっかけに2020年5月末に始まったブラック・ライヴズ・マター運動で、これが世界中に急激に広まっている。パンデミックはここで決定的な要素となった。ジョージ・フロイドの死は社会不安の火種となったが、そこに油を注いで抗議活動を拡大、長期化したのは、パンデミックに伴う潜在的な条件、とりわけ感染動向に表れた人種間の不平等と高まる失業率だった。過去6年間で警察に身柄を拘束されて死亡したアフリカ系アメリカ人は100人近くに上るが、ジョージ・フロイドの死までは、抗議が全米に広まったことはなかった。人々の怒りが暴発したのが、パンデミックがアフリカ系アメリカ人のコミュニティに偏った影響を与えている（前述）時なのは、単なる偶然とはいえない。2020年6月末の時点で、アメリカにおける黒人の新型コロナウイルス感染症による死亡率は、白人の2・4倍だった。同時に、黒人の雇用はパンデミックによって大打撃を受けていた。これは驚くにあたらない。アフリカ系アメリカ人と白人の間の経済的、社会的分断はあまりにも深く、ほぼすべての指標で黒人労働者は白人労働者に比べて不利な立場に立たされている。[*63] 2020年5月のアフリカ系アメリカ人の失業率は16・8％（国全体では13・3％）だった。これは社会学者が言うところの「バイオグラフィカル・アベイラビリティ（フルタイムの仕事がないことで、社会運動への参加率が上がること）」[*64]を助長する非常に高い水準だ。ブラック・ライヴズ・マター運動がどのように変化するのか、長期化した場合にどんな形を取るのかは分からない。しかし、人種の問題にとどまらず、より広範なものに変わりそうな兆候がある。社会に内在する人種差別への抗議が、経済的な公正性と社会の一体性を求めるより広い要求につながっている。これは不平等の問題へ当然につながっていく。これまで見てきたように、リスクは互いに関連しあい、互いに増幅し合うのである。

状況は変化するものであり、「自動的に」社会不安を引き起こすような引き金はない。これを強調しておくことは重要だ。社会不安とは集合的な人の力学や心のあり方を表すものであり、多くの要素によって左右される。相互関連性や複雑性という指摘通り、社会不安が爆発するのは、典型的な非線形の（単純に予測できない）事象であり、政治、経済、社会、テクノロジー、環境などの要素が引き金になりうる。経済的ショック、異常気象による困窮、人種間の緊張、食料不足や不公平感などさまざまだ。このすべて、あるいはまた別の要素がほぼ常に絡み合い、次々に影響が波及する。そのため、どのような状況で混乱が生じるのかを事前に予測することはできないが、想定しておくことは可能だ。それでは、社会不安が起こりやすいのはどんな国だろうか。一見すると、セーフティーネットが存在しない貧しい国と、社会的なセーフティーネットが十分ではない豊かな国のリスクが最も高い。人々が収入を失ったときに、その被害を緩和するための失業手当などの政策手段がないか、あるいは不十分なためだ。このような理由で、アメリカのような個人主義が強い社会は、ヨーロッパやアジアなど連帯感が強い（南欧など）、あるいは恵まれない人々を支援する社会制度がより充実している（北欧など）国よりもリスクが高くなる。この二つの要素が揃っている国もある。たとえばイタリアなどでは、社会のセーフティーネットが整っているだけでなく、強い（とくに世代間の）連帯がある。同じような意味で、儒教文化圏であるアジアでも、個人の権利よりも責任感や世代の連帯がより重視され、地域全体の利益となるような施策やルールに高い価値が置かれている。もちろん、だからといって、欧州やアジアの国々が社会不安の影響を免れるわけではない。むしろ、ほど遠いと言ってもいい。フランスの黄色いベスト運動に見られるように、堅固な社会のセーフティーネットを備えている国であっても、社会の期待に応えられないと、暴力的で長く続く社会不安が爆発することがある。

社会不安は経済や社会の福利厚生に悪影響を与えるが、私たちはそれに対して無力ではないことを強調するのは重要だ。政府や、政府ほどではないにせよ企業や他の組織も、リスクを緩和するために備えることができるからだ。社会不安を生じさせる最も大きな要因は不平等である。許容できないレベルの不平等と戦う政策のツールは存在しており、その多くは政府の手中にあるのだ。

1.3.3 「大きな政府」の復活

『ブルームバーグ・ニュース』編集長のジョン・ミクルスウェイトと、『エコノミスト』誌エディターのエイドリアン・ウールドリッジはこう書いている。「新型コロナウイルスの感染拡大により、政府が再び重要な存在になった。力を取り戻した（一時、隆盛を誇った企業が助けを乞うのを見るとよい）だけでなく、再び不可欠な存在となった。医療制度が充実しているか、有能な官僚がいるか、財政は健全かといったことが、極めて重要だからだ。優れた政府かどうか、それが私たちの生死を分けるのである[*65]」

過去500年の間に欧米諸国が得た大きな教訓の一つに、重大な危機は国家の権力を拡大させるというのがある。これは常にそうであったのだから、今回のパンデミックが例外だとする理由はない。歴史家はこう指摘する。18世紀以降に資本主義国の財政が強化されたことと戦争は密接に関連している。とりわけ、遠い国での戦争に兵を送るには多くの船が必要だったからだ。1756年～1763年に戦われた7年戦争が好例だ。この戦争は、当時の欧州の大国を軒並み巻き込んだ最初の世界規模の戦争とされる。それ以来、大きな危機が起こると国家の権力が常に強化された。まずは課税だ。課税は「すべての独立した政府の当然の権利とされ、主権固有の絶対不可欠な属性」だ[*66]。いくつかの事例が示すように、今回の危機でも、過去と同じように増税されることになるだろう。そして社会に対する理由の説明や政治的正当化は、過去にならって「戦時国家」の物語に基づいてなされることになる（ただし今回は見えざる敵が相手だ）。

フランスでは、1914年には所得税の最高税率がゼロだったが、第一次世界大戦終結の翌年には50％に引き上げられた。カナダが戦費調達のために「一時的な」措置として所得税を導入したのは1917年だが、第二次世界大戦中には大幅増税に踏み切った。法人以外の個人が支払う所得税に一律20％の付加税を課し、高い限界税率（69％）を導入した。戦後、税率は引き下げられたものの、戦前と比べれば依然としてかなり高い水準になった。同じように、第二次世界大戦中のアメリカでは、所得税が「階級税」から「大衆税」へと姿を変えた。これによって1940年に700万人だった納税者は、1945年には実に4200万人となった。アメリカ史上最も累進的な課税がなされた年は1944年から1945年の間で、20万ドル（2009年現在の240万ドルに相当）を超える所得に94％の税率が適用された。この最高税率は、納税を強いられる立場の国民からは没収も同然と非難されることも多かったが、その後20年間80％を下回ることがなかった。第二次世界大戦末期には、他にも多くの国がこれに類似した、時に極端な課税措置を取った。戦時中のイギリスでは、所得税の最高税率が実に99・25％という驚くべき高さに引き上げられた。[*67]

ときには、主権の行使である課税によって、福祉制度の創設など、さまざまな領域で目に見える社会的な便益が生み出されることもある。しかし、そのような大規模な、まったく「新しい」ものへの転換は、常に暴力的な外的ショックやその脅威に対応するためだった。たとえば、第二次世界大戦をきっかけに、欧州の大部分の国で、ゆりかごから墓場までという国家福祉制度が導入された。冷戦時にも、資本主義国の政府は共産主義者による国内の反乱を懸念し、先んじて国家主導型のモデルを実行した。輸送業からエネルギー分野まで経済の大部分を官僚が管理する制度は1970年代半ばまで続いた。

今日では、状況が根本的に異なっている。（西側社会では）国家による介入が数十年続いた後、国家の役割は急激に縮小した。しかし、これも変わらざるを得ない運命にある。今回の新型コロナウイルスほどの重大な外的ショックに対して、純粋に市場原理に基づいた対策で立ち向かえるとは思えないからだ。官と民の間で複雑かつ微妙に保たれていたバランスは、ほぼ一夜にして官が優位になった。社会保険制度が効率的なこと、これまで以上に健康や教育などの責任を個人や市場に押し付けるのは、社会にとって必ずしもベストの選択ではないことが明らかになっている。驚くほど急激な方向転換によって、ほんの数年前まで忌み嫌われていた考え方がこれからの新たな規範となるかもしれない。それは、監視しないと経済は暴走して社会福祉を損なうが、一方で政府は公益を推進できるという考え方である。政府と市場の関係性を測る目盛りは、いま間違いなく左に振れている。

マーガレット・サッチャー元英首相が、時代精神をとらえて「社会などというものはない」と宣言して以来、初めて政府が優位に立っている。パンデミック後の時代に起きることすべてが、私たちに政府の役割を見直すよう求めるだろう。政府は、市場が失敗したときに正すだけではなく、経済学者のマリアナ・マッツカートが提案するように、「持続可能で包括的な成長を果たせるような市場を積極的に形成するべきだし、政府が資金を提供する企業とのパートナーシップは、利益ではなく公益を目的とするべきだ」[*68]

拡大する政府の役割はどのような形で現れるのだろうか。新しい「大きな」政府の重要な要素の一つは、すでに始まっている。ごく短期間のうちに急激に拡大した政府による経済支配だ。第一章で述べているように、政府の経済介入は思わぬ速さで予期せぬ規模で広がった。ちょうどパンデミックが世界を覆い始めた2020年4月、世界各国の政府が合計数兆ドルもの景気刺激策を発表した。それは、最貧困層の基本的なニーズを支え、可能な限り雇用を守り、企業の存続を助けるために、第二次世界大戦後のマーシャル・プランを八つも九つもほぼ時を同じくして実行したかのようだった。中央銀行は金利の引き下げを決め、必要な流動性の確保に努めた。他方で政府は、社会福祉給付の拡大、国民への直接的な現金給付、賃金の補填、借入金や住宅ローンの支払い猶予などの措置を取った。そうした決定ができる権限と能力、手段を持っているのは政府だけであり、そうしなければ、経済は壊滅し、社会は崩壊しただろう。

今後、政府は、社会の利益にとってベストであるとして、程度の差こそあれ、ゲームのルールを一部書き換え、政府の役割を恒久的に拡大させようとするだろう。1930年代のアメリカは、大規模な失業と落ち込んだ経済を政府の役割を拡大するという革新的な方針で乗り切った。予想しうる将来もこの方針が適用される可能性が高い。そうした転換がどのような形で起きるのかは、新しい社会契約についての次項で改めて検討するが、最も注目すべき点をいくつか簡潔に示そう。

健康保険と失業保険の制度をまったく新しく設けるか、もし既存の制度があるならそれを強化する必要がある。社会のセーフティーネットも強化する必要がある。とくに「市場志向」が最も強いアングロ・サクソン社会でそれが必要だ。パンデミックの衝撃を和らげるために、失業給付を拡大し、病気休暇その他の福祉政策を導入する必要がある。今後は、それが標準となっていくだろう。多くの国では、新たに労働組合を関与させることでこの過程が円滑に進むだろう。株主価値は二義的なものになり、ステークホルダー資本主義が優位になる。過去にあれだけの世界経済を牽引してきた金融化の流れも、おそらく後退するだろう。とくに、その影響が最も顕著に表れていた国、アメリカとイギリスの政府は、金融に執着しすぎた政策を大幅に見直さなければならなくなる。自社株買いの禁止、銀行が消費者に借金を奨励することの防止など、幅広い措置が可能だ。とくに公的資金による恩恵を受けた民間企業（もちろん他の民間企業も含めて）に対しては、政府による精査も強まるだろう。一部の国では企業の国有化が進み、政府による株式の保有や公的資金の投入を選択する国もあるだろう。総じて、労働者の安全確保や、特定品目については国産品の調達など、さまざまな面で規制が強まる。企業はまた、社会の分断や環境破壊について責任を問われるようになり、その解決に関与することを期待されるようになる。さらに、政府は官民のパートナーシップを強く推進し、民間企業が地球規模のリスク緩和に貢献するよう促すだろう。細かいことは別にして、国の役割が増すにつれて、ビジネスのやり方も大きな影響を受ける。程度に差こそあれ、すべての国のすべての業種で、企業幹部は強まる官の介入に適応していかなければならない。健康や地球環境問題の解決策など、世界の公益にかかわる研究や開発も、積極的に推進されるだろう。政府は医療や環境の回復力を高める必要があり、この分野に投資しなければならないので増税するだろう。とくに富裕層が対象となる。こうした考え方を主唱するのが、ノーベル経済学賞受賞者ジョセフ・スティグリッツだ。

最優先されるべきなのは、（中略）公的部門の資金を増やすことだ。とくに、複雑化した社会が直面する幾多のリスクに対応するための部門、科学の進歩や質のいい教育を提供するために資金を使うことである。そこに私たちの将来がかかっているからだ。これらの分野は、研究者や教師、彼らを支える組織を支える人々など、生産的な仕事がすぐに創出される分野だ。今回の危機を脱したとしても、間違いなく別の危機がすぐそこに迫っていることを、心に留めておかなければならない。次の危機がどのようなものになるのか予測することは不可能だが、今回とは異なるものとなることは間違いないのである。[*69]

国や文化の違いによって、政府の介入は穏やかなものにも有害なものにもなり得るだろうが、社会契約の再定義の方がより勢いがあるだろう。

1.3.4 社会契約

今回のパンデミックにより世界中の多くの社会が、その社会契約について再考し、再定義するよう、ほぼ確実に促される。すでに述べたように、新型コロナウイルス感染症は既存の問題を増幅し、長年の課題を暴いた。これは適切に対処されてこなかった深刻な構造的欠陥に原因がある。このため、多かれ少なかれ私たちを縛っている社会契約が、社会と不調和を起こしていること、それに切迫した現状への疑問が、再考を求める声の高まりにつながっているのだ。

「社会契約」という言葉は、広義では、個人と政府の関係を決定する一連の（多くは暗黙の）取り決めや期待を指す。簡単に言えば、それは社会の「接着剤」であり、これがなければ社会の基本構造がバラバラになる。その社会契約は、何十年もかけてゆっくりと密かに、個々の人生とその経済的な結果は個人責任であるという方向に動いてきた。そして今、多くの人々（最も明白なのは低所得層）はそうした契約が、完全に崩壊したとは言えなくとも、綻びつつあると考えるようになっている。低インフレ、またはゼロインフレという明らかな幻想は、社会契約に綻びが生じたときに現実の世界で何が起きるのかをよく表している。長年にわたり、多くのモノやサービスのインフレ率は世界中で低下した。しかし、大多数の人にとって最も影響が大きい、住宅、医療、教育はいずれも価格が急激に上昇している。可処分所得に占めるこの三分野の割合は大きくなっており、一部の国では、病気の治療を受けるために借金せざるを得ない家庭もあるという。同様に、パンデミック前は多くの国で就業機会が拡大していたが、就労率は上昇してもむしろ収入は伸び悩み、仕事は二極化していた。この結果、大半の人々（先進国の中産階級も含む）の経済的、社会的福祉が損なわれ、何とか人並みの生活を送れるだけの収入さえ得られなくなっている。社会契約への信頼が失われている根本的な原因は、不平等の問題や、再分配政策の大部分が機能していないこと、疎外感や過小評価からくる不満、不公平感の広がりなどが絡み合っている。こうしたことから、多くの国民が社会契約は瓦解していると憤り、非難の声を上げ、政府機関やリーダーに対して不信感を強く表しはじめている。[*70] 激しい怒りが広がり、その感情が平和的または暴力的なデモの形で表れた国もあれば、選挙でポピュリストや過激な政党を勝たせた国もある。ほとんどのケースで、既存の政権は不十分にしか対応できず、反乱への備えもなく、問題を解決する方策や政策手段も持ち合わせていなかった。しかし、政策的な解決策は、複雑ではあるが確かに存在する。それは、広く言えば、人々に力を与え、より公平な社会契約を求める要請に応えることによって、社会保障制度を現在の世界に見合うものにすることだ。これをどう実現させるか。過去数年の間に、新たな現実に適応しようとする一部の国際機関やシンクタンクがいくつかの提言を発表している。[*71] パンデミックがこうした意識の変化を加速し、一つの転換点となるだろう。課題が明らかになったいま、パンデミック以前に戻ることはもはやあり得ない。

新しい社会契約はどのような形になるのだろうか。でき合いのモデルがあるわけではない。各国の歴史や文化によって、可能な解決策は違ってくるからだ。中国とアメリカにとって「良い」社会契約の内容は異なる。さらに言えば、アメリカと、たとえばスウェーデンあるいはナイジェリアの間でも異なるだろう。それは仕方がないし、理解できることだ。しかし、そうした中でも、今回のパンデミック危機がもたらした社会的、経済的影響により、共通の特徴や原理が絶対に必要であることが認識された。とくに注目すべき点は次の二つだ。

1. 万人共通とまではいかなくとも、より広範に、社会扶助、社会保険、医療および基本的かつ高品質のサービスを提供すること

2. 労働者や現在最も弱い立場に置かれている人々（社員として雇用されるのではなく、独立した委託業者やフリーランスとして働く人々から構成されているギグエコノミーの社会で職を得ている人たち）をより手厚く保護すること

国家の災害対策には、強みと脆弱性、そして何よりもまず、社会契約の「質」と信頼性が如実に表れるとよく言われる。危機の最も深刻な局面を次第に脱し、対策の成否を徹底的に検証する段に

なったら、自己反省を十分に行う必要がある。それが究極的には社会契約の再定義につながるからだ。パンデミックへの対応が標準に満たなかったとされた国では、多くの国民が重大な問いを投げかけるだろう。パンデミックが猛威を振るっていたときにマスクや人工呼吸器が不足していたのはなぜか。なぜ十分な準備ができなかったのか。近視眼的になりすぎていたのではないか。GDPがこれだけ大きいのに、必要な人々に優れた治療を提供できないのはなぜか。10年以上も訓練を受け、救った命の数によって期末に評価される医師の報酬が、トレーダーやヘッジファンドマネージャーの報酬より見劣りするのはなぜか。

患者の命を救うために費やす金額にしても、看護師や医師が受け取る報酬にしても、多くの国の医療制度に不備があることがこのパンデミックによって明らかになった。税金で運営されているため、富裕国でも増税を避けたがる政治の体質から、医療サービスの財源が長期にわたって不足しがちだ。その最も極端な例がイギリスの国民保健サービス（NHS）である。こうしたところでは、「効率的な経営」では投資の不足を補えないという認識が広がり、支出を増やすべきである（したがって増税するべき）という声が強まっている。

また、国によって福祉制度に大きな差があることも明らかになった。一見して、最も包括的な形で対応したのはスカンジナビア諸国など手厚い福祉制度を備えた国だった。たとえば、早くも2020年3月には、ノルウェーが自営業者の平均収入の80％（過去3年間の納税申告に基づく）

を保証する措置を打ち出し、デンマークも75%を保証するとした。その対極に位置するのが市場の論理が最も強い諸国で、新型コロナウイルス感染症への対応で遅れを取った。労働市場の最も弱い環、とりわけ、従来の労使関係にはまらない雇用のもとで収入を得ているギグワーカー、独立した委託業者、必要とされるときのみ呼び出される労働者や一時雇いの労働者たちの保護に関して、腰の定まらない姿勢を露呈した。

新しい社会契約の命運を決めるかもしれない重要な問題に、病気休暇がある。経済学者の間では、有給の病気休暇がないことがエピデミック拡大の封じ込めを困難にしているという見方が強くなっている。理由は単純で、病気休暇を与えられない労働者は、たとえ感染していても無理を押して、あるいは強いられて仕事に出る場合があり、これが結果的に感染を拡大させてしまうからだ。この状況はとりわけ低収入の労働者とサービス業の労働者に当てはまる（この二つが重なることも多い）。アメリカ公衆衛生学会によれば、2009年から2010年にかけて鳥インフルエンザ（H1N1）が流行したとき、約7000万人が感染した。そして、感染者が仕事を休めなかったために死者が1500人増えたという。豊かな先進国の中で、有給の病気休暇を与えるかどうかの判断を雇い主に委ねる制度となっているのはアメリカだけである。2019年には、同国の全労働者のおよそ4分の1に病気休暇が付与されていなかった（約4000万人にあたり、大部分が低賃金の仕事に集中している）。このため、今回の新型コロナウイルス感染症がアメリカで大流行し始めた2020年3月、トランプ大統領は、育児プログラムを利用する者に限って、2週間の有給病気休暇と家族休暇（給与を一部支給）を与えるよう雇用主に暫定的に求める法案に署名し、成立させた。今後、アメリカにおいてこの問題が社会契約の再定義でどう扱われるのか注視する必要がある。対照的に、欧州では、ほぼすべての国が、雇用主に対して有給病気休暇（期間はさまざま）の付与を義務付けている。また、労働者はこの休暇中に解雇されることはない。パンデミックの発生当初に公布された新しい法律にも、ギグワーカーやフリーランスも含め、自宅隔離で外出を制限された人々の給与を全額、国が補償することが定められた。日本では、すべての労働者が毎年20日を上限に有給休暇の取得を保証されている。また中国では、病気で仕事を休む期間中は日給の60%から100%の割合で病気手当が支給され、会社と労働者の間で契約で合意または規約で定めた長さの病気休暇が与えられる。今後、こうした課題を取り入れて社会契約が再定義されていくことを期待したい。

西側諸国の社会契約には、もう一つ重要な側面がある。それは、自由（もともと与えられている自由と権利として勝ち取った自由の両方）だ。今回のパンデミックや将来のパンデミックとの戦いで、永久的な監視社会を生み出すことにつながるのではないかという懸念が高まっている。この問題は「テクノロジーのリセット」の項で詳しく取り上げるので、ここでは、脅威が社会全体に影響し、すべての人に降りかかり、存在に関わるような場合にのみ国の緊急事態が正当化されると言うにとどめておく。また、政治学者はこう強調する。特別な権限は人々の承認によって与えられるべきで、それを行使する期間も範囲も制限する必要がある。前者の主張（社会全体に影響し、すべての人に降りかかり、存在に関わるような場合）には同意できたとしても、後者についてはどうだろうか。この問題は、私たちが社会契約のあり方について今後議論していく上で非常に重要な点になることが予想される。

社会契約で定める諸条件をここで一度すべて見直し、再定義する作業は、現在の深刻な問題を未来の希望に結びつけるという意味で、とても画期的だ。ここで思い出したいのはヘンリー・キッシンジャーの言葉だ。「歴史的な課題に遭遇した指導者は、危機をうまく管理しながら、未来も創造していかなければならない。それに失敗すれば、世界中を炎上させてしまうこともあり得る」[*72]。今後の社会契約のあり方について考えるとき、その未来の世界を生き抜かなければならない若者たちの意見は無視できない。新しい社会契約が機能するかどうかは、その世代に支持されるか否かにかかっているからだ。だからこそ、彼らの希望をよく理解できるよう、しっかりと耳を傾けなければならない。社会契約に関して、若い世代の意見は、旧世代よりも急進的になることにも意味がある。この深刻な景気後退の最中に労働市場へ出ていく新しい社会人の数は数百万にも上る。パンデミックは彼らに大きな打撃を与えており、世界中の若者が、経済的、そして社会的不安定の影響を受けざるを得ないし、一生涯、その傷が癒えることはない。また、多くの学生が教育ローンを組んでおり、社会人として出発する彼らの多くは長期にわたって重い負担を背負うことになるだろう。（少なくとも西側諸国の）ミレニアル世代は、親の世代と比べ、収入も資産も富も乏しく、家を持ち子どもを作る可能性も低いと思われる。現在の社会制度は、新たに参入する世代（Z世代）の目に、欠陥があるように映る。長年の課題であるその足りない部分が、パンデミックによって浮き彫りとなり、今後さらに深刻化する恐れがある。『ニューヨーク・タイムズ』紙に引用された、ある大学3年生の言葉が同世代の切実な思いを代弁しているようだ。「今のまま進んでも、崩れた道しかなく行き止まりになる。だから、急進的な変革を強く望んでいるのだ」[*73]

若い世代はこの危機にどう反応するのだろうか。急進的な解決策（多くはラディカルな行動を伴う）を提案して、それが気候変動であれ、社会の不平等であれ、次に降りかかる災難を防ごうとするだろう。既存の制度は修復不可能なまでに壊れていると常に考え、失望している彼らは、現在の道筋に代わる急進的な代替案を要請する可能性が高い。

若者の現状改革主義は、過去には不可能だったレベルまで動員力が高まったソーシャルメディアにより大きく変容し[*74]、世界中に広がっている[*75]。彼らが取る行動形式は、組織化されない政治運動からデモや抗議活動まで多岐にわたり、取り上げる問題も、気候変動、経済改革、男女平等、LGBTQの権利など、多様化している。彼らは確実に社会変動の先陣を切っている。若い世代こそが変化の起爆剤となり、グレート・リセットに強力な勢いをつける重要な原動力となることは間違いない。

1.4 地政学的リセット

地政学とパンデミックは、双方向に影響する形でつながっている。一方では、多国間主義が混乱のうちに終焉し、グローバルガバナンスに空白が生まれて、さまざまな形のナショナリズムが台頭した。[*76] これらが新型コロナウイルスの感染抑制をより困難にしている。新型コロナウイルスは世界中に拡散し、誰でも無差別に襲うのに対して、地政学的な断層で世界が分断され、多くの指導者は自国内の対応に目を向けざるを得ない。その結果、国際的に協力する「集団的有効性」が制約され、パンデミックを根絶する能力が発揮できないのだ。他方では今回のコロナ危機が、流行前から明らかになっていた地政学上の傾向を加速的に悪化させている。それらは何であったのか、そして現在の地政学的状況とはどのようなものだろうか。

スイス・ローザンヌにある経営幹部教育のためのビジネススクール、国際経営開発研究所（IMD）で教鞭を取った慧眼の経済学者、故ジャン－ピエール・リーマン名誉教授は今日の状況についてこう語った。「新しい世界秩序などない。あるのは、不確実性への混沌とした移行だけだ」。より最近では、米国アジアソサエティ政策研究所のケビン・ラッド所長（元オーストラリア首相）が、同じような気持ちを明らかにしている。彼がとくに懸念しているのは、「来るべきポストコロナの無秩序」だ。「さまざまな形のナショナリズムが蔓延し、秩序と協力に取って代わりつつある。パンデミックに対するそれぞれの国と世界の対応が無秩序であるため、さらに広範なパンデミックが起こる可能性があるということだ[*77]」。これは、複数の原因が互いに絡み合って長年進行してきた話だが、地政学的な不安定をもたらす決定的な要因は、欧米からアジアへのリバランスだ。その過程でストレスが生まれ、世界が無秩序化していく。アメリカの政治学者グレアム・アリソンが言う「トゥキディデスの罠」という言葉でこの状況を説明できる。中国のような新しい大国がアメリカのような既存の大国に対抗するときに必然的に生じる「構造的なストレス」のことだ。この対立は、今後何年もの間、世界的混乱や無秩序、不確実性の原因となるだろう。アメリカが好きか嫌いかは別にして、国際舞台からアメリカが徐々に撤退すれば、世界はより不安定な状態になるだろう（歴史学者のニーアル・ファーガソンが言う「地政学的先細り」と同じだ）。これまで、アメリカが世界の大国として提供してきた国際的公共財（シーレーン防衛や国際テロリズムとの戦い）に頼ってきた国は、自分の裏庭は自分の手で管理しなければならない。21世紀は絶対的な覇権国がいない時代になりそうだ。そこでは一つの大国が圧倒的な支配力を得られず、その結果、パワーと影響力は、無秩序に時には渋々と再配分されることになるだろう。

多極化と激しい影響力拡大競争が渦巻くこの混乱した新世界では、対立や緊張状態は、イデオロギーではなく、ナショナリズムや資源獲得競争によって引き起こされる（イスラム過激派は限定的な例外だが）。もしも一つのスーパーパワーが他国に秩序を守らせることができなければ、われわれの世界は「世界秩序の空白」に悩まされることになるだろう。国々や国際機関が、グローバルレベルでよりうまく協力する方法を見つけられなければ、世界は「エントロピー（無秩序）の時代」に突入するリスクがある。そのような時代になると、縮小、分裂、怒り、偏狭などが世界を表す特徴となり、世界はより分かりにくく、より無秩序なものになるだろう。コロナ危機が、この嘆かわしい実態を暴き出し、深刻化させている。パンデミックの衝撃の規模と重要性は極めて大きく、どんな極端なシナリオも無視できなくなった。統治に失敗した国や石油・天然ガスの輸出に依存する国の崩壊、ＥＵ（欧州連合）の解体、米中関係の破綻に端を発した戦争など、こうしたシナリオが現実になる可能性が出てきた（そうならないことを願うが）。

この後、ポストコロナ時代によく見られるようになるだろう四つの主要な問題（グローバリゼーションの後退、グローバルガバナンスの不在、米中競争の激化、統治に失敗した脆弱な国家の運命）

とそれらが相互にどう作用するのかを考察する。

1.4.1 グローバリゼーションとナショナリズム

グローバリゼーション（あらゆる目的に使える万能の言葉だが）とは、国と国との間でモノやサービス、人、資本、それに今ではデータまでも含めてグローバルに交換する行為を指す、広く曖昧な概念である。グローバリゼーションによって何億もの人々が貧困から脱出したが、もう何年も前からそれも疑問視され、今では後退し始めているとする向きもある。先に強調したように、今日の世界はかつてないほど相互につながっているが、10年以上もの間、グローバリゼーションの推進を主張し支持してきた経済的、政治的な勢いは陰りつつある。2000年代初頭に始まった国際貿易交渉は合意に達することができず、一方で、まさに時を同じくして、グローバリゼーションに対する政治的、社会的反発が容赦なく強まった。グローバリゼーションの非対称的な効果によって引き起こされる社会的費用（とくに、高所得国の製造業分野での失業）が増加し、金融のグローバル化のリスクは、2008年の世界金融危機の後、ますます鮮明になってきた。これらが一緒になって、グローバリゼーションがもたらすリスクが世界中（とくに西側諸国）でポピュリストや右翼政党が台頭するきっかけにもなった。こうした勢力が政権に就くと、しばしばナショナリズムに後退し、孤立主義的政策を推進する。この二つは、グローバリゼーションとは正反対の概念である。

グローバル経済は極めて複雑に絡み合っているため、グローバリゼーションを終わらせるのは不可能だ。しかし、遅らせることは可能であり、後退させることも可能だ。私たちは、このパンデミックがまさにグローバリゼーションを後退させると考えている。感染症はすでに国境の壁を復活させた。さらに感染症が猛威を振るうようになった（文字通りパンデミックとして世界中に広がった）2020年3月以前からの傾向を、加速している。たとえば、（移民に対する恐怖から）国境管理がより厳しくなり、（グローバル化への恐怖から）保護主義が強まった。パンデミックの拡大を抑える目的で国境管理を厳しくするのはとても合理的だ。とはいえ、国民国家の復活がより強いナショナリズムにつながるというリスクも現実のものとなる。ハーバード大の経済学者ダニ・ロドリック教授は、それを「グローバリゼーション・トリレンマ」という枠組でとらえている。グローバリゼーションが、政治的・社会的に微妙な問題になりつつあった2010年代初め、ロドリック教授は、もしナショナリズムが高まれば、グローバリゼーションが必然的に犠牲になる理由をこの枠組で説明している。教授のいうトリレンマとは、経済のグローバリゼーション、政治的民主主義、国家主義という三つの概念は互いに相容れないものであり、常にこのうちの二つだけしか共存できないという論理に基づいている。[*78] つまり、民主主義と国家の主権は、グローバリゼーションが封じ込められている場合にのみ両立できる。これに対して、国民国家とグローバリゼーションが強くなれば、民主主義は維持できない。そして、民主主義とグローバリゼーションが広がれば、国民国家は居場所がなくなる。したがって、これら三つのうち二つしか選ぶことができない、というのが、「トリレンマ」のポイントだ。EUはしばしば、このトリレンマ理論で提唱された概念的枠組の適切さの例証として使われてきた。経済統合（グローバリゼーションの代理として考える）と民主主義を組み合わせることは、重要な決定は国家を超えたレベルでなされなければならないということを意味する。そうなると、国民国家の主権は何らかの形で弱められる。現在の状況において「政治的トリレンマ」という枠組から示唆されるのは、もし国家の主権や民主主義を断念しないのなら、グローバリゼーションは諦めなければならないということだ。したがって、ナショナリズムが台頭すれば、世界の大部分でグローバリゼーションの後退は不可避となる。これは、とくに西側諸国で顕著である。イギリスのEU離脱を決めた国民投票と、保護主義的な綱領を掲げたトランプ大統領の2016年の勝利は、グローバリゼーションに対する西側の激しい抵抗を示す二つの重要な出来事だった。その後の研究によって、ロドリック教授のトリレンマ理論が正しいことが証明されただけでなく、経済が強くて不平等が高まる時に、有権者がグローバリゼーションを拒絶するのは合理的な選択だということが示された。*79

次第に進む脱グローバリゼーションがはっきりと見えるのは、その「原子炉」の心臓部とも呼ぶべきところ、すなわち、グローバリゼーションの象徴となったグローバルサプライチェーンだろう。

それはどのようにして、そしてなぜ起きるのだろうか？　サプライチェーンの短縮化またはリローカライゼーション（再地域化）を促進するのは、⑴サプライチェーンの崩壊に対するリスク緩和策（回復力と効率のトレードオフ）と見なす企業、そして、⑵右派、左派両方からの政治圧力だ。2008年の世界金融危機以降、ローカル化を進めることが多くの国（とくに西側諸国）で政治課題となっていたが、ポストコロナの時代にはそれがますます加速する。右派陣営では、新型コロナウイルスの感染拡大が始まる前から勢力を伸ばしていた保護主義論者や安全保障のタカ派たちが反グローバリゼーションの動きを強めるだろう。彼らは、反グローバリゼーションのテーマを受け入れることで利益を得ようとする他の政治勢力と手を結ぶか、合体することになる。一方、左派陣営では、以前から航空機旅行を非難し、脱グローバリゼーションを訴えていた環境重視の活動家や政党が、新型コロナウイルス感染症が環境に与えた好ましい影響（二酸化炭素排出量や大気・水質汚染が大きく減った）によって勢いづくだろう。たとえ極右や環境保護主義者たちからプレッシャーがかからなくても、多くの政府は、一部の貿易に依存する状況がもはや政治的に受け入れられないことを悟るだろう。たとえば、米政府は、国内で供給される抗生物質の97％を中国から輸入しているという事実を、どのようにして受け入れることができるだろうか？[*80]

　グローバリゼーションに逆行するこのようなプロセスは一夜にして起こらない。サプライチェーンを短縮するのは非常に難しく、とても高くつくからだ。たとえば、アメリカが中国に依存しているあらゆる分野から徹底的かつ包括的に離脱するには、アメリカ国内の企業は別の国や地域に工場を移転するために何千億ドルもの投資が必要となり、その後ろ盾となる政府も、移転先のサプライチェーンをサポートするために、空港や交通網、住宅など新たなインフラ整備に同額の資金を支出しなければならなくなるだろう。一部の分野では、このような離脱政策が政治的に望ましいとしても、それを実現する能力があるかどうかは別の話だ。それでも、離脱する傾向は明らかに強まるだろう。日本政府もその姿勢を明確にした。緊急経済対策費としてまとめた108兆円の中に、中国から撤退する国内企業を支援する予算として2430億円を盛り込んだ。アメリカも、同様の措置を採用することを何度か示唆している。

グローバリゼーションと脱グローバリゼーションの間で揺れ動く中で、最も実現の可能性が高いのは、その中間の解決策、すなわち地域化（リージョナリズム）である。自由貿易圏を確立したEUの成功、あるいは東アジア地域包括的経済連携（RCEP、ASEAN加盟10カ国に日本、中国、韓国、オーストラリア、ニュージーランド、インドなど16カ国で交渉）は、いかにしてグローバリゼーションの色を薄めた地域連合として成立し得るかを示す重要な実例だ。アメリカ、カナダ、メキシコの北米三カ国の相互貿易額は、今や中国や欧州との貿易額よりも多くなっている。国際関係の専門家パラグ・カンナは指摘する。「リージョナリズムは、パンデミックによって国際社会の遠距離相互依存が脆弱であることが明らかになる前から、明らかにグローバリズムを越えつつあった」[81]。長年、アメリカと中国の直接貿易という一部の例外を除いて、（モノの流通量で測定した）グローバリゼーションは、すでに複数の地域間を意味するインターリージョナルよりも同一地域内を意味するイントラリージョナルな構図になっていたのである。１９９０年代初期、北米は東アジアからの輸出の35％を買っていたが、現在は20％だ。これは主に、東アジア地域内の輸出入が毎年増え、同時にアジア諸国が独自のバリューチェーンを発展させ、生産量よりも多くを自らの地域内で消費するようになった必然の結果である。２０１９年に、アメリカと中国が貿易戦争を始めると、アメリカの対中貿易は減少し、カナダ、メキシコとの貿易が増えた。同時に、中国もＡＳＥＡＮとの貿易が増え、初めて３０００億ドルを超えた。要するに、地域化のさらなる深化という形で脱グローバリゼーションが進みつつあったのだ。

新型コロナウイルス感染症の影響で、こうしたグローバリゼーションからの逸脱が加速されることになる。北米や欧州、アジアは、かつてグローバリゼーションのエッセンスとされていた遠くて複雑なグローバルサプライチェーンよりも、地域内での自給自足にますます力を入れるだろう。これは、どんな形を取るだろうか。初期のグローバリゼーションを終焉させた一連の出来事と似たものになるかもしれないが、それにちょっと地域の特徴が入るだろう。第一次世界大戦（１９１４〜１９１８年）前から終戦を迎えるまでは、反グローバリゼーションという雰囲気が強かった。１９２０年代はそれほどではなかったが、１９３０年代に世界恐慌が起こると再び強まり、関税や非関税障壁の引き上げによって多くの企業が倒産し、当時の経済大国は大きな打撃を受けた。同じことが再び起こる可能性がある。それも、医療や農業だけでなく、非戦略物資のさまざまの分野で外国に展開した生産拠点を国内回帰させるという強い力を伴う可能性がある。極右勢力も極左勢力もこのコロナ危機を利用して、資本財や人の自由な移動に対してより厳しい障壁を築いて保護主義的政策を推進しようとするだろう。２０２０年初めに実施されたいくつかの調査によると、アメリカが貿易だけでなく、国境を越えた企業の吸収合併や政府調達においても、保護主義への回帰に向かうことを懸念する多国籍企業が多いことが明らかになった。[*82] アメリカで起きることは他国にも必ず広がるだろうし、他の経済先進国は、保護主義にならないようにという専門家や国際機関からの訴えを無視して、貿易や投資により多くの障壁を作るだろう。

この憂鬱なシナリオを回避できないわけではない。だが、これからの数年間は、ナショナリズムと自由で開放的な勢力との間の緊張関係が以下の重要な局面で表れる。⑴グローバルな機関、⑵貿易、⑶資本の流れの三つだ。最近、国際機関や組織は、ＷＴＯ（世界貿易機関）のように弱体化しているか、もしくはＷＨＯ（世界保健機構）のように任務が遂行できなくなっている。ただＷＨＯの場合は、もともと無能というよりも、「資金不足で、過剰に管理されている」ことが、より大きな原因だ。[*83]

企業はサプライチェーンを短縮して、極めて重要な部品については海外の一国あるいは一企業だけに依存することはしないようにするだろうから、グローバルな貿易は、前に見たように、ほぼ確実に縮小する。とくにデリケートな産業（たとえば、医薬品や医療材料）や国家の安全保障上に関わると考えられるセクター（たとえば通信やエネルギー）では、脱統合のプロセスさえもすでに進行中かもしれない。すでにアメリカではこれが必要条件になりつつあり、もしこれが他国や他のセクターに広がらなければ驚きだ。地政学もまた、いわゆる「貿易の武器化」を通じて、経済的な苦痛を与えている。これを受けてグローバル企業の間では、国際的な法の支配によって貿易摩擦が秩序だって予測可能な形で解決されることをもはや期待できないという懸念が生まれている。

国際的な資本の流れについては、各国の政府当局と国民の抵抗がその流れを抑制するようになるのはすでに明らかだろう。オーストラリアやインド、ＥＵなど、多くの国や地域が示しているように、アフターコロナの時代には保護主義的な姿勢がいよいよ顕在化する。外国資本による企業買収を防ぐために「戦略的な」国内企業の株式を国家が取得したり、規制を導入したりすることもあるだろう。あるいは外国への直接投資に政府の許可という条件をつけることも考えられる。現に２０２０年4月、米政府は公的年金基金が中国株に投資することを禁止する決定を下した。

今後数年間に、ナショナリズムの台頭や深刻化する国際的な分断によって、何らかの脱グローバリゼーションが起こることは避けられまい。パンデミック前の状態に戻そうとするのは的外れだ。（それが目指していた「ハイパーグローバリゼーション」はその政治的、社会的基盤を失ったし、擁護するのはもはや政治的には無理だ)。しかし、大きな経済的損害や社会的苦痛をもたらす急激な後退の悪影響を抑制することは重要だ。グローバリゼーションから性急に撤退すれば、貿易戦争や通貨戦争をもたらす可能性があるし、そうなればすべての国の経済に打撃を与え、社会的混乱を引き起こし、偏狭な民族主義や部族ナショナリズムに火をつけることにもなる。社会的にも環境の面からも持続可能で、今よりもはるかに包括的で公正な形のグローバリゼーションを確立することが、グローバリズムから撤退するための唯一の実行可能な方法だ。これには結論の章で取り上げる政策的ソリューションや何らかの効果的なグローバルガバナンスを必要とする。環境や公衆衛生に関する多国間協定やタックスヘイブンのように、国際協力の恩恵が伝統的にあるグローバルな分野でその方向に向かうことは可能と想われる。

これは、保護主義的な傾向に対する最も「自然で」効果的な緩和要素であるグローバルガバナンスの改善によってのみ実現できる。しかしながら、その枠組が近い将来にどのように発展するかはまだ分からない。今のところ、兆候は芳しくなく、正しい方向には行きそうにもない。ぐずぐずしている時間はないのである。国際機関の機能を改善し、その正統性を高めなければ、世界はやがて管理不能になり、極めて危険な状態に陥るだろう。ガバナンスのグローバルな戦略的枠組なしには、永続的な回復はあり得ないのである。

1.4.2 グローバルガバナンス

グローバルガバナンスとは、一般にグローバルな（複数の国家や地域に影響を与える）問題へ対応することを目的に国家を超えて協力することと定義されている。そこには、複数の国民国家に関わる共通課題への対応を予測可能で安定したものにするための制度、政策、規範、手続きやイニシアティブなどすべてが含まれる。この定義通りなら、各国政府が協力して共通目標を達成するために行動を起こし、必要な法律を制定する能力なくして、どんなグローバルな問題または懸念に取り組んだとしても大きな成果は得られない。グローバルガバナンス（ある国が他の国をリードする）を可能にするのは、それぞれの国民国家である。国連が「効果的なグローバルガバナンスは、効果的な国際協力があって初めて実現できる」[*84]と言うのも、そこを念頭に置いているからだ。グローバルガバナンスと国際協力という二つの概念は、あまりにも密接に絡み合っているために、各国の拠出金が減ったり、対立して一枚岩でなくなったりすると、グローバルガバナンスはほぼ機能しない。ナショナリズムと孤立主義がグローバルな政治組織に浸透すればするほど、グローバルガバナンスがその意味を失い、無力になる可能性は高まる。悲しいことに、私たちは今まさにその重大な岐路に立っている。単刀直入に言えば、私たちは誰も本当に責任を取ろうとしない世界にいるのだ。

郵便はがき

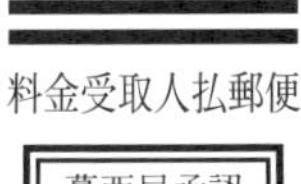

料金受取人払郵便

葛西局承認

8011

差出有効期間
令和6年3月31日
まで（切手不要）

1 3 4 8 7 3 2

（受取人）
日本郵便　葛西郵便局私書箱第30号
日経ナショナル ジオグラフィック社
読者サービスセンター 行

お名前　フリガナ	年齢	性別 1.男 2.女
ご住所　フリガナ □□□-□□□□		
電話番号 （　　　）	ご職業	
メールアドレス	@	

●ご記入いただいた住所やE-Mailアドレスなどに、DMやアンケートの送付、事務連絡を行う場合があります。このほか、「個人情報取得に関するご説明」(http ://nng.nikkeibp.co.jp/nng/ p8/)をお読みいただき、ご同意のうえ、ご返送ください。

お客様ご意見カード

このたびは、ご購入ありがとうございます。皆さまのご意見・ご感想を今後の商品企画の参考にさせていただきますので、お手数ですが、以下のアンケートにご回答くださいますようお願い申し上げます。（□は該当欄に✓を記入してください）

ご購入商品名　お手数ですが、お買い求めいただいた商品タイトルをご記入ください

■ 本商品を何で知りましたか（複数選択可）

□ 書店　□ amazonなどのネット書店（　　　　　　　　　　　）
□「ナショナル ジオグラフィック日本版」の広告、チラシ
□ ナショナル ジオグラフィックのウェブサイト
□ FacebookやTwitterなど　□ その他（　　　　　　　　　　　）

■ ご購入の動機は何ですか（複数選択可）

□ テーマに興味があった　□ ナショナル ジオグラフィックの商品だから
□ プレゼント用に　□ その他（　　　　　　　　　　　）

■ 内容はいかがでしたか（いずれか一つ）

□ たいへん満足　□ 満足　□ ふつう　□ 不満　□ たいへん不満

■ 本商品のご感想やご意見をご記入ください

■ 商品として発売して欲しいテーマがありましたらご記入ください

■「ナショナル ジオグラフィック日本版」をご存じですか（いずれか一つ）

□ 定期購読中　□ 読んだことがある　□ 知っているが読んだことはない　□ 知らない

■ ご感想を商品の広告等、PRに使わせていただいてもよろしいですか（いずれか一つ）

□ 実名で可　□ 匿名で可（　　　　　　　　　　　）　□ 不可

ご協力ありがとうございました。

新型コロナウイルスの感染拡大で、私たちが直面する最も重要な多くの問題は実はすべてグローバルな問題であることに気づかされた。パンデミック、気候変動、テロリズム、国際貿易、すべてグローバルな問題だ。各国がそれらの問題に協調的に取り組まない限り、それぞれのリスクも抑えることはできない。しかし政治学者のイアン・ブレマーの言葉を借りれば、いまの世界は、国際社会を主導する国が存在しない「Gゼロ」の時代か、あるいはさらに悪い、インドのエコノミスト、アービンド・スブラマニアンが言う[*85]ところの「Gマイナス2」（2はアメリカと中国）の時代に入っている（これは、世界で最も豊かな先進7カ国の集まりであるG7やそこに13の重要な国・機関を足して構成するG20ではなく、米中2大国が独自に世界を牽引することもできない状態を指す）。私たちを悩ませる大きな問題が頻繁に発生し、最も強大な国民国家でもコントロールすることができない。リスクや課題は、ますますグローバル化して相互に作用を及ぼし、密接に絡み合っている。その一方で、グローバルガバナンスの機能は危険なまでに低下し、ナショナリズムの台頭で危機に瀕している。こうした分断があるため、最も重大なグローバル問題があってもばらばら、かつ不十分にしか取り組むことができない。それだけではない。適切に対応できないということは、状況を悪化させているということでもある。その結果、24ページの図に示したとおり、（こうした問題がもたらすリスクを）抑制するどころか、制度的な脆弱性をさらに高めてしまっている。グローバルガバナンスの失敗、気候問題への取り組みの失敗、中央政府の失敗（一度失敗すると失敗を重ねる傾向がある）、社会不安、それに当然パンデミックにうまく対応する能力も含めた各課題の間には強い相互関連性が存在する。要するに、グローバルガバナンスは、すべての問題の中心にあるのだ。したがって、グローバルガバナンスが適切に機能しなければ、グローバルな問題に取り組み、何とか対応しようとしても、マヒしてしまうだろう。とくに、短期的に対処する必要がある国内問題と長期的に取り組むグローバルな問題の不一致が大きい時にそうなりがちだ。現在「世界救済委員会」（The committee to save the world、20年以上前のアジア金融危機がピークに達したときに使われた言葉）が存在しないことを考えれば、これは非常に大きな不安の種だ。この議論をさらに進めると、アメリカの政治学者フランシス・フクヤマが『政治の衰退：フランス革命から民主主義の未来へ』[*86]（講談社、2015年）で述べている「一般的な制度の衰退」が、グローバルガバナンス不在の世界で、問題をさらに増幅するといえそうだ。それがさらに悪循環を引き起こす。国民国家がそれぞれを取り巻く重大な問題にうまく対処できないと、国民が国家を信用しなくなり、その国民の不信が国家の権威と資源を失わせ、ひいては、国としての実績が下がって、グローバルガバナンスに関わる問題に対応できなくなるか、対応する意欲を失ってしまう。

今回のコロナ危機は、まさにそのようなグローバルガバナンスの失敗の典型だ。ごく最初の段階から、米中の緊張関係によって悪化していたグローバルガバナンスの空白が、パンデミックに立ち向かう世界各国の協調を切り崩した。コロナ危機が始まった頃は、まだ国際協力は存在しないか、あっても限られていた。それが最も必要になった時期（危機が最も高まった2020年の第2四半期）にも、協力し合おうとする気運が高まらず、協力がないことばかりが目立った。コロナ危機は、世界各国が歩調を合わせてさまざまな対策を打ち出すきっかけになるどころか、むしろ世界を反対の方向に動かした。国境が次々と閉鎖され、海外旅行や貿易がほとんど何の調整もないままに制限された。医療用品の配付は頻繁に止まり、品薄になった物品の争奪戦が繰り広げられた。とくに枯渇状態の医療器具については、どのような手段を講じてでも確保しようと試みる強欲な国民国家も一部に現れた。ＥＵでも、初めは加盟国がそれぞれ独自に対応しようとしていたものの、その後、協調路線に転換した。加盟国間で実務支援が行われ、各国の医療をサポートするためのＥＵ補正予算が組まれ、治療法やワクチン開発のための資金を共同で出資した（そして今では、欧州委員会が取りまとめた７５００億ユーロの復興基金など、コロナ危機以前には考えられなかった野心的な対策も打ち出されるようになり、ＥＵがさらに統合を強める可能性が見えてきた）。グローバルガバナンスが機能していれば、その枠組の中で世界各国が力を合わせてパンデミックと「戦争」するべきだった。しかし実際には、「自国第一」とする行動が広がり、パンデミックの第一波の拡大を抑え込もうとする対策の効果を大きく損ねた。それがまた防護服や適切な医療サービスの不足を生み、各国の医療体制を逼迫させる要因にもなった。さらに、こうしたばらばらの取り組みが、世界経済のエンジンを「再スタート」させる出口政策を各国間で調整しようとする努力も台無しにしたのである。今回のパンデミック危機では、２００８年にアメリカを襲った金融危機や、２００１年の９・11同時多発テロのようなグローバル危機とは対照的に、グローバルガバナンスが機能せず、そのシステム自体が存在していないか、機能不全を起こしていることが明らかになった。アメリカなどは、ＷＨＯ（世界保健機関）の分担金の停止に踏み切り、脱退も表明した。この決定の背景にどのような根拠があろうとも、パンデミックに対してグローバルな対応を調整できるのはＷＨＯだけだという事実は残る。それに、ＷＨＯが完璧な組織ではないとしても、ないよりはあるだけでもはるかに好ましい。ビル・ゲイツはこのことを説得力のある簡潔な言葉で、次のようにツイートした。「彼らの取り組みは新型コロナウイルス感染症の拡大を遅らせている。仮にその作業が止まっても、彼らに代わって作業を続けられる機関は他にない。世界はいま、これまで以上にＷＨＯを必要としている」

パンデミックに対してグローバルガバナンスが機能していないのは、ＷＨＯのせいではない。この国連機関の力不足は、グローバルガバナンスの機能不全を示す単なる症状であって、その原因ではない。拠出国に対して敬意を払うＷＨＯの姿勢は、資金協力してくれる国に対する完全な依存状態を示している。ＷＨＯには、加盟国間の情報共有やパンデミックへの各国の備えを強制する権限はないし、人権や気候変動などを管掌する他の国連機関と同様に、次第に減少する限られた予算しか与えられていない。２０１８年の年間予算は42億ドルで、これは世界のどの国の健康関連予算と比べても極めて少ない。しかも、感染症の発生を直接監視したり、パンデミック対策を調整したり、国レベルで効果的な準備体制を確実に実施させたりする独自の手段も持ち合わせておらず、文字通り加盟国の言いなりになるしかない状況に置かれている。最も必要としている国々に資源を配分することさえできない。この機能不全状態は壊れたグローバルガバナンスシステムの症状なのだ。国連やＷＨＯのような現存するグローバルガバナンスの組織形態を、現在のグローバルリスクに対応できるような体制に再構築できるのかどうかについては、まだ結論が出ていない。当面、グローバルガバナンスの空白が続く中で何ができるかと言えば、国民国家が協力して集団的決定を下せるように団結力を高めることしかない。しかし、このモデルでは、世界が一体となって対処法を決定しなければならないグローバルリスクには機能しないのである。

多国間組織を立て直さなければ、世界は極めて危険な場所になるだろう。このパンデミック危機が去った後、多国間の調整がさらに必要になる。継続的な国際協力なしに世界経済が「再出発」できるとは考えられないからだ。それがなければ、この世界は「より貧しく、より卑しく、より小さく萎む」方向に向かうだろう[*87]。

1.4.3 深まる米中の対立

ポストコロナ時代になれば、この感染症が、米中を「新しいタイプの冷戦[*88]」に導いたターニングポイントとして記憶されることになるかもしれない（「新しいタイプ」という言葉は極めて大事だ。米ソの冷戦と違って、中国がイデオロギーを世界中に押し付けようとしているわけではない）。コロナ危機の前から米中の緊張はすでに（貿易、知的財産権、南シナ海の軍事基地化、とりわけテクノロジーや戦略産業への投資など）多くの領域で高まっていた。40年にわたる戦略的関与政策のあとで、今やアメリカと中国は両国を隔てるイデオロギーや政治的な分断を修復できないように見える。コロナ危機は、米中二つの地政学的巨人を団結させるどころか、むしろ対立を悪化させ、競争を激化させるというまったく逆の状況をもたらした。

ほとんどのアナリストたちは、コロナ危機の間に米中二大国の政治およびイデオロギーの亀裂は拡大したということで一致するだろう。中国の著名な学者で北京大学国際関係学院長の王緝思（ワン・ジースー）によると、コロナ危機の副産物は、米中関係が国交を樹立した1979年以来最悪のレベルに落ち込んだことであるという。彼の意見では、米中の経済・技術のデカップリング（分離）は「すでに戻れない[*89]」ところまで進んでいる。また、「グローバルシステムが二つに割れてしまうところまで進む」と中国グローバル化研究センター（CCG）センター長の王輝耀（ワン・フイヤオ）[*90]は警告している。著名人の中にも、公の場で懸念を表明する人たちがいる。2020年6月の記事でシンガポールのリー・シェンロン首相は、米中対立の差し迫った危険について、米中対立は「アジアの将来と新しい国際秩序の形について深刻な疑問を投げかける」とした。そして「シンガポールなど東南アジア諸国は、さまざまな大国の利害が交差する場所に位置しており、その争いに巻き込まれたり、不当な選択をさせられたりすることを避けなければいけない。シンガポールも含めて東南アジア諸国はこれをとくに心配している」と付け加えた[*91]。

どの国が「正しい」か、あるいはどの国が他国の弱点や脆弱性を利用して「トップに」なるかは、もちろんいろいろな意見がある。しかし、それらの意見を文脈によって解釈することが重要だ。「正しい」意見や「間違った」意見はないとしても、そうした意見を表明する人々の出身、文化、個人の生い立ちや経歴にはしばしば関連があり、それによって異なるいろいろな解釈が可能だ。先に触れた「量子世界」の比喩をさらに追及すれば、量子物理学から客観的現実は存在しないということが推論できる。私たちは、観察と測定が「客観的」意見を決めると考えているが、原子や分子のミクロの世界には（地政学のマクロの世界のように）、二人の観察者がそれぞれの意見を主張する権利があるという量子力学の奇妙なルールがある（これは「スーパーポジション（重ね合わせ）」と呼ばれ、「分子は複数の場所や状態に同時に存在することができる」のだ[*92]）。国際情勢の世界では、もし二人の観察者がそれぞれの意見を主張する権利があるとすれば、それらの意見は主観的なものだが、それでも本物で有効だ。一人の観察者が、別々の特異なレンズを通してのみ「現実」を理解することができるとすれば、私たちは客観性の概念を考え直さなければならない。現実の説明がこの観察者の立場に依存していることは明白である。その意味では、「中国の」考え方と「アメリカの」考え方は両立し、その間には無数のその他の考え方が共存している。それらは全部本物だ。中国の世界観や世界における位置は、1840年の第一次阿片戦争で受けた屈辱とそれに続く1900年に八カ国連合（オーストリア＝ハンガリー帝国、フランス、ドイツ、イタリア、日本、ロシア、イギリス、アメリカが義和団の乱をきっかけに中国に干渉した）が侵略し、北京やその他の都市で略奪、かつ巨額の賠償金を取ったことが影響している。それは理解できることだ。[*93] その逆に、アメリカが世界をどのように見ているか、そしてアメリカの世界における位置づけというのは、ほぼ建国以来の国際的立場を形作ってきた価値観と理念に基づいている。[*94] これらが、アメリカの大国としての地位と250年にわたって多くの移住者をひきつけてきた他に類のない魅力となった。アメリカの視点はまた、他の国すべてに対して過去数十年にわたって享受してきた優位性と、その絶対的な優位が相対的に失われた結果生じる必然的な疑念と不安定からきている。中国にもアメリカにも豊かな歴史があり（中国の歴史は5000年にわたる）、両国ともそれを誇りにしている。そのため、キショール・マブバニ（シンガポールの学者で元外交官）に言わせれば、彼らは自分たちの力を過大評価し、他国を過小評価するのだ。

これらのことを検証するために、中国やアメリカまたは両国のことを専門とするアナリストたちは、ほぼ同じデータや情報（今やグローバルな商品となっている）にアクセスし、多かれ少なかれ同じものを見て、聞いて、読む。それでも正反対の結論に達することが少なくない。アメリカが最終的に勝つとする向きもあれば、中国がすでに勝利を収めたと主張する向きもいる。勝者はいないのだとする第三のグループもいる。それぞれの議論を見てみよう。

中国が勝者とする見方

今回のパンデミックの危機は、アメリカの弱点を露呈した一方で、中国の利益になったとする議論。ポイントは3点だ。

1. 世界で最強の軍事大国であるアメリカの強さも、目に見えない微小な敵を前にしては何の役にも立たなかった。

2. コロナ危機に「無策だったこと」が、アメリカのソフトパワーを傷つけた、とハーバード大学のジョセフ・ナイ教授は語った[*95]（ただ注意しなければならないことがある。新型コロナウイルス感染症への政府の対応が「有能」であったか「無能」であったかについては、無数の意見があり、意見の相違もあった。しかしこの判断は難しい。アメリカでは対策を打つのは、主に州や市である。したがって、連邦政府の政策対応は事実上ない。ここで議論しているのは、公衆の態度を形作る主観的な意見だ）。

3. コロナ危機は、一部の人にはショッキングなアメリカ社会のさまざまの側面をさらけ出した。感染拡大に直面して大きな不平等があることや、国民皆保険制度の欠如、それに、ブラック・ライヴズ・マター運動によって提起された社会の人種差別意識だ。

これらすべてのことを受けて、米中競争に関する著名な分析家、キショール・マブバニ教授[*96]はこう語っている。新型コロナウイルス感染症は、災害に対応し他国を支援することに関して両国の役割を逆転させた。かつては、援助が必要なところに支援物資を持って一番に駆け付けたのは常にアメリカだった（２００４年12月26日、大津波がインドネシアを襲ったときもそうだ）。この役割は今では中国に取って代わられたと教授は言う。２０２０年3月、中国はイタリアにＥＵが供給できなかった人工呼吸器やマスク、防護服など31トンの医療用品を送った。教授に言わせれば、１６１カ国からなる「世界のその他の地域」に住む60億の人々はすでに、米中の地政学上の対決に向けて準備を始めている。米中の競争の勝敗を決めるのは彼らの選択で、「米中が彼らに提供するものの費用対効果分析を行う冷静な計算」に基づくものだという[*97]。感情はあまり大きな役割を果たさないかもしれない。というのは、これらすべての国々は、アメリカか中国のどちらが最終的に国民の生活を向上させるかを選択の基準にするからだ。しかし、そうした国の圧倒的多数は、地政学的なゼロサムゲームに巻き込まれたくない。むしろ選択の自由を残しておくことを望むだろう（アメリカと中国の間で、どちらかを選ぶことを強制されたくないということだ）。しかしながら、華為技術（ファーウェイ）の例が示すように、フランスやドイツ、イギリスのようなアメリカの伝統的な同盟国でさえ、アメリカから圧力をかけられた。そのような厳しい選択に直面したときに諸国がどのような決定をするかで、ますます激しくなる競争でアメリカと中国のどちらが勝者となるかが決まることになるだろう。

アメリカが勝者とする見方

アメリカが最終的に勝者になるとする陣営では、アメリカが本来持っているさまざまな強さと中国の構造的な弱点が議論の中心だ。

「アメリカが勝者」だとする人たちは、パンデミック後にアメリカの優位が突然終わると考えるのは時期尚早だとし、次のような議論を展開する。アメリカは相対的には衰退しつつあるかもしれないが、絶対的には依然として強力な超大国だし、強力なソフトパワーもある。世界の人々が訪問する目的地としての魅力にはいくらか陰りがあるとはいえ、それでも、外国におけるアメリカの大学の成功や文化産業の魅力からも分かるように、まだ強力なものがある。さらに、貿易の決済に使われ、資産の安全な避難場所とされる世界通貨ドルの支配的地位は当面はほぼ変わらない。これは大きな地政学的なパワーであり、米当局は、企業や（イランやベネズエラのような）国をドル決済のシステムから締め出すこともできる。前の章で見たように、ドルの地位は将来変わるかもしれないが、今後2、3年は、ドルに取って代わる通貨はない。より基本的には、アメリカは「衰退しない」とする人々は、ルチル・シャルマ（モルガン・スタンレーの著名なインド人投資家兼ファンドマネーシャー）と同じ主張をする。「アメリカの経済的優位は、衰退論者が間違っていることを繰り返し証明してきた[*98]」。彼らはまたウインストン・チャーチル元英首相の見方にも同意するだろう。チャーチルは、かつて、アメリカはその過ちから学ぶ生来の能力を持っているとし、すべての選択肢がなくなったあとに、常に正しい道を選んできたと語った。

政治的な激しい（民主主義か独裁主義かというような）論争はひとまず置いて、アメリカが今後長年にわたって「勝者」であり続けると考える人たちはこう強調する。中国がグローバルな超大国になるまでにはさまざまの逆風に直面する。最も頻繁に引き合いに出される「逆風」は次の三つだ。⑴急速に進む高齢化と2015年にピークに達した生産年齢人口といった人口問題を抱えていること、⑵ブルネイ、インド、インドネシア、日本、マレーシア、フィリピン、ベトナムとの間に領土紛争を抱え、アジアにおける影響力が制約されること、そして⑶エネルギー依存度が極めて高いということだ。

勝者はいないという見方

「米中の双方にとって、そして世界秩序にとって、このパンデミックが悪い影響を及ぼしている」とする人たちはどう考えるだろうか。[*99] 中国もアメリカも、ほとんどすべての国と同じように、非常に大きな経済的打撃を受けて勢力圏や影響力を拡大する能力が確実に制限される。輸出入がGDPの3分の1以上を占める中国は、アメリカのような大きな貿易相手国の経済活動が縮小しているときに、持続的に経済を回復させるのは難しい。アメリカは、債務が過剰に膨らんでいるため、いずれ経済回復後に支出を抑えなければならない。現在の経済危機が大規模な金融危機に発展するリスクが常にあるからだ。

勝者はいないという立場の人たちは、両国が経済的な打撃や国内政治の困難に直面した場合に触れて、米中両国ともコロナ危機から抜け出すときに、大幅に国力を落とした状態になりそうだと言う。「瓦礫の中からは、新しいパックス・シニカ（中国の覇権による平和）もリニューアルしたパックス・アメリカーナも生まれることはない。どちらも、危機を乗り越えた時には国内外で疲弊しているだろう。

「勝者がいない」とする理由は、数人の学者が主張しているが、中でも歴史学者ニーアル・ファーガソンの主張は興味をそそられる。本質的にコロナ危機は、小さな国々の成功を際立たせた一方、アメリカや中国のような超大国の失敗を暴いたというのだ。ファーガソンは言う。「ここでの本当の教訓は、アメリカが終焉を迎え、中国が21世紀の支配的パワーとして君臨するというものではない。現実は、アメリカや中国、EUというすべての超大国がまったく機能不全に陥っていることをさらけ出したのだ[*100]」。この論理を主張する人々はこうも言う。大国であることは「規模の不経済」を必然的に伴う。国であれ帝国であれ、大きくなりすぎてある境界を超えると、自分自身を効果的に統治できなくなる。逆に言えば、それがシンガポールやアイスランド、韓国、イスラエルのような比較的小さな国が、アメリカよりもうまく新型コロナウイルスの感染拡大を封じ込められた理由だ。

予測というのは愚か者の推測ゲームのようなものだ。アメリカと中国の競争がどのように展開するかを、誰も自信と確実性をもって言うことはできない。ただ言えるのは、間違いなく激化するだろうということだけだ。パンデミックは、現在の大国と新興の大国の間の競争を激化させた。米国はコロナ危機でつまずいて、世界に対する影響力は弱まった。一方、中国は、その影響力を拡大し、コロナ危機から利益を得ようとしているかもしれない。中国とアメリカの戦略的な競争が将来どうなるかわれわれにもほとんど分からない。それは、二つの対極にある事象の間で揺れ動くのだろう。一方は、ビジネスの利害のために抑制された管理可能な関係悪化であり、もう一方は、持続する全面的な敵意である。

1.4.4 脆弱な国家と失敗しつつある国家

脆弱な国家、失敗しつつある国家、破綻した国家、その境界は流動的で希薄である。今日の複雑かつ柔軟に変化する世界で「非線形の原則」とは、脆弱な国家がいきなり破綻国家になることがあるということ、またその逆に、破綻国家が国際機関の仲介あるいは外国資本の注入のおかげで状況が急激によくなることがあるということだ。今後数年間、新型コロナウイルスの感染拡大が世界中に影を落とす中、世界で最も貧しく脆弱な国々が悪い状態からより悪い状態に進む方向に力学が働くことになる。要するに、脆弱性の特徴を持つ多くの国家は、破綻するリスクがあるということだ。

国家の脆弱性は世界で最も重大な課題の一つである。とくにその傾向が顕著なのがアフリカだ。国家が脆弱になる原因は数多くあり、相互に絡み合っている。経済格差、社会問題、政治の腐敗や非効率性、国内外の抗争、それに自然災害などだ。現在、およそ18億から20億の人々が脆弱な国家に住んでいると推定されている。この数字はポストコロナの時代には確実に増えるだろう。脆弱国家はとくに新型コロナウイルスの感染拡大で被害を受けやすいからだ。[*101] 国力が弱く、それに伴って基本的な公共サービスや治安といったベーシックな機能を維持する能力が欠けているため、パンデミックへの対応をさらに困難にしている。失敗しつつある国家や失敗した国家の状況はさらに悪い。極端な貧困に喘ぎ、怒りにまかせた暴力を食い止めることができない。教育や治安、統治といった基本的な機能をほとんど維持できない、あるいは完全にできなくなっている。こうした国では、権力の空白の中で、無力な国民が軍閥の抗争や犯罪の犠牲になり、しばしば国連や（必ずしも善意とは限らない）近隣の国が人道的な惨事を防止するために介入せざるを得なくなる。そのような脆弱な国の多くでは、パンデミックが外因性ショックとなり、国家の運営が立ち行かなくなって、さらに衰退していくだろう。

これらの理由から、新型コロナウイルスの感染拡大が脆弱な国家や失敗しつつある国家に与えるダメージは、最も発展した豊かな国が受ける打撃よりもはるかに深く、しかも長引く。これによって、世界で最も傷つきやすい一部の国が荒廃するだろう。多くの場合、経済的な惨事は何らかの形の政治不安や暴力を引き起こす。なぜなら世界の最貧国は二つの窮地に陥ることになるからだ。一つは、パンデミックによって引き起こされる貿易やサプライチェーンの途絶が、送金の停止や飢餓の増加といった状態を直ちに引き起こすこと。二つ目は、やがてこれらの国は雇用や所得の深刻な喪失に直面することだ。新型コロナウイルス感染症が、なぜ世界の最貧国にそこまでの大打撃を与える潜在力を持っているかという理由はそこにある。このような国々では、経済の落ち込みがさらに大きな悪影響を直ちに社会にもたらすのだ。とくにサハラ以南のアフリカ、そしてアジアや南米の一部でも、何千万もの人々が、家族を養うためにわずかの日銭に頼っている。ロックダウンと医療危機が混乱を招き、彼らを絶望させ、その連鎖反応が世界中に不安を拡散させるきっかけになる可能性がある。その影響は紛争中の国にとってはとくに打撃となる。新型コロナウイルスの感染が拡大すると必然的に人道的な援助と支援の流れが遮断されるからだ。また、紛争を解決するための和平活動も制限され、外交努力も先送りになってしまう。

地政学的なショックには、オブザーバーたちを驚かせるある傾向がある。その波及効果や連鎖反応が、二次、三次、またはそれ以上繰り返されるのだ。しかし現時点では、地政学的リスクはどこで最も顕著に表れているのだろうか。

いま世界中の資源国（ノルウェーやその他の数カ国を除く）が大打撃を受けているリスクがある。エネルギーなどの価格の崩壊だ。この本を執筆している時点では、資源国は大きな衝撃を受けている。価格の暴落は、パンデミックによって引き起こされた問題やそれにつながるその他すべての問題（失業やインフレ、医療システムの不足、それにもちろん貧困）をさらに悪化させる。ロシアやサウジアラビアのような、経済が比較的発展している豊かなエネルギー生産国は、原油価格が崩壊すると確かに経済的打撃は大きい。国家予算は苦しくなり、外貨準備も減り、深刻な中長期的リスクが膨らむ。しかしそれ以上に、石油が輸出のほとんど（99％）を占める南スーダンのような所得の低い国にとっては、価格暴落の一撃だけで即座に壊滅状態に陥ってしまう。これは他の多くの脆弱な資源輸出国についても言えることだ。エクアドルやベネズエラのような産油国で、国内にある数少ないまともな病院が新型コロナウイルスの感染拡大でたちまち機能しなくなってしまい、あっという間に崩壊するというのもあり得ないシナリオではない。一方、イランではアメリカの経済制裁が、新型コロナウイルスの感染率が高いという問題をより複雑にしている。

とくにリスクが高いのは中東とマグレブ地域の国だ。その地域では多くの国が、パンデミック発生以前から政情が不安定であり、人口比率の高い若年層の失業が深刻で、経済の疲弊が明らかだった。新型コロナウイルスの感染拡大、原油価格の下落（影響があるのは一部の国だ）、観光（雇用と外貨獲得に重要）の激減という三重苦は、２０１１年の「アラブの春」にも似た大規模な反政府デモを引き起こすかもしれない。不吉なことに、２０２０年4月末、まだロックダウンの最中にレバノンで失業の不安と高まる貧困に抗議する暴動が起こった。

このパンデミックによって、食糧安全保障の問題が再び大きな注目を集めている。感染症が多くの国に人道危機と食糧危機という大惨事をもたらす恐れがあるからだ。国連の食糧農業機関（ＦＡＯ）によると、厳しい食糧不安に苦しむ人々の数は２０２０年に2億６５００万人へと倍増する可能性があると予測している。このパンデミックで移動と貿易が制限され、失業も増えた。そこに食糧が手に入りにくい、あるいは手に入らないということになれば、大規模な社会不安を引き起こすかもしれない。そして移民や難民の大量移動が起こる。脆弱な国や統治に失敗しつつある国では、貿易障壁やグローバルな食糧サプライチェーンの崩壊で現在の食糧不足がさらに悪化するだろう。その状況があまりにひどいことを憂慮した国連世界食糧計画（ＷＦＰ）のデイビッド・ビーズリー事務局長は２０２０年4月21日、国連安全保障理事会に対して「聖書にあるほどの大規模の飢饉」が約30数カ国（とくにイエメン、コンゴ、アフガニスタン、ベネズエラ、エチオピア、南スーダン、シリア、スーダン、ナイジェリア、ハイチ）で起きる可能性があると警告した。

高所得国でロックダウンや景気後退が起こると、世界の最貧国ではワーキングプア（働いても貧困から抜け出せない層）や彼らに頼っているすべての人たちの収入が激減する。ネパールやトンガ、ソマリアなどの国で、ＧＤＰの非常に大きな割合（30％以上）を占める海外からの送金が減るのも同じように影響する。これで彼らの経済は壊滅的な打撃を受け、大きな社会的影響が出る。世界銀行によれば、ロックダウンとその後に多くの国で起こった経済の「冬ごもり」の影響によって、中・低所得国への送金が20％減少する（２０１９年の５５４０億ドルが２０２０年には４４５０億ドルになる）と予測している。[*102] 海外からの送金が極めて重要な外貨獲得手段であるエジプト、インド、パキスタン、ナイジェリア、フィリピンなど、大きな国の経済、社会、政治も弱体化し、不安定化する可能性が強く現実味を帯びてきた。そこに、パンデミックによって最も大きな影響を受けた分野の一つである観光業への大打撃が追い打ちをかけている。観光は多くの貧しい国にとって経済のライフラインだ。エチオピアなどは、観光収入が全輸出額のほとんど半分（47％）を占め、それに伴う収入と雇用の喪失は非常に大きな経済的、社会的なショックになる。モルジブやカンボジアなども同じことだ。

世界に点在する紛争地帯では、多くの武装勢力がパンデミックを口実にいかに自分たちの言い分を通すかを考えている（たとえばアフガニスタンでは、タリバンが捕虜の釈放を要求し、ソマリアではアル・シャバブが新型コロナウイルス感染症を地域の不安定化に利用しようと画策している）。2020年3月23日に国連事務総長が停戦を呼びかけたが、ほぼ無視された。2020年に少なくとも50件の組織的な暴力が報告されている43カ国のうち、わずか10カ国だけがこの呼びかけに肯定的な反応を示した（もっとも、支持を表明するだけで、具体的な行動のコミットメントはしないケースが最も多い）。紛争が継続中のその他31カ国では、紛争当事者は呼びかけに応えないどころか、暴力のレベルをさらに上げた[*103]。新型コロナウイルス感染拡大の心配とそれに続く医療の緊急事態が長期の紛争の抑制につながり、和平交渉を促進するかもしれないという当初の希望は消えてしまった。これもまた、パンデミックが困難な、または危険な傾向を食い止めることにならなかっただけでなく、むしろ加速する原因となっていることを示す一例だ。

豊かな国は、脆弱な国や失敗しつつある国で悲劇が起きていても、自国には関係ないとして見て見ぬふりをしている。しかしいずれは、不安定や大混乱がより深刻になり、リスクとして無視できなくなるだろう。世界で最も脆弱で貧しい国々の悲惨な経済、不満や飢餓は、世界のより豊かな国々にも波及する。最も明白な連鎖反応の一つが大量移民の発生だ。２０１６年に多くの難民が欧州に押し寄せた時のような事態がまた起きるかもしれない。

1.5 環境のリセット

環境とパンデミックは一見、遠い親戚のような離れた関係でしかないように見えるが、実は私たちが思っているよりもはるかに密接に絡み合っている。これまでも両者は予想もできない独特の形で相互に作用してきたし、これからも同じだ。たとえば、生物多様性が減ると感染症にどのように作用するか、パンデミックが気候変動にどんな影響を与え得るかなどを考えると、人類と自然が、危うさを伴う微妙なバランスと複雑な相関関係の上に成り立っていることが分かる。

さらに、グローバルリスクから見れば、パンデミックに並ぶ重大なリスクとしてすぐ思い浮かぶのが、気候変動と生態系の崩壊という二つの重大な環境リスクだ。この三つはいずれも、程度の差はあれ、人類の存続を危うくする性質の脅威である。本格的な気候変動と生態系の崩壊が起こればこの惑星がどのような姿になるかを、新型コロナウイルス感染症が経済的視点から垣間見せてくれているのかもしれない。コロナ危機は需要と供給の両方にショックを与え、商業活動やサプライチェーンを寸断し、その影響は波及的かつ連鎖的に拡大していく。その結果、地政学やテクノロジー、社会的問題といったさまざまな他のマクロ分野でリスク(時にはチャンスにもなるが)を増幅させている。もし気候変動、生態系崩壊とパンデミックがグローバルリスクとして似ているというなら、つまり同等の危険をはらむ地球規模の脅威として見なすならば、それらをどのように比較すればいいだろう? 多くの共通項がある一方で、明確な違いもあるのだ。

この三つのリスクに共通する特徴は主に五つある。(1)相互連結が進む世界では、予見可能なシステミックリスク(いわゆるホワイトスワン)が爆発的なスピードで拡大し、他のカテゴリーのリスクも増幅させる。(2)リスクの高まり方はいずれも非線形である。一定の閾値、つまりティッピングポイントに達すると、社会に壊滅的な打撃を与える危険性がある(パンデミックの場合は、特定地域で感染が爆発的に拡大することにより、医療崩壊が起きる)。(3)これらの影響力の確率分布を示すのは非常に難しいか、ほぼ不可能だ。状況が常に変化するためにいつも前提を見直しながら対応する必要があるので、政策の観点からするとコントロールが極めて困難だ。(4)本質的にグローバルな課題のため、適切に対応するためには国際協調が必要である。(5) 最も脆弱な国や特定の階層の人々が影響を受けやすい。

では違いはどうだろうか？　いくつかあるが、大部分は概念的または方法論的なものだ（たとえば、パンデミックは感染リスクであるのに対し、気候変動と生態系の崩壊は蓄積していくリスクである）。最も重要な相違点は二つある。⑴対象とする期間の長さの違い（政策や緩和策を打つのに大きく影響する）、⑵因果関係の問題（社会が緩和戦略を受け入れるのがより困難になる）、だ。

1. パンデミックは、危険性や切迫度が誰の目にも明らかで、ほぼ瞬時に広がるリスクである。感染症が大流行すると、個人のみならず、人類という種の存続まで危機にさらされる。そのため、強い決意を持って迅速に対応することが必要だ。対照的に、気候変動や自然の喪失は、徐々に進み、累積していくものだ。その影響が認識されるにはかなりの時間がかかる（気候に関連する現象や自然が失われる「異常な」現象が次から次に起きているのに、気候変動の危機を喫緊の課題とすることに納得していない人々がまだかなりいる）。このように対象とする期間の長さでは、パンデミックと、気候変動、自然喪失とでは大きな違いがある。パンデミックは迅速な対策を求められ、結果もすぐに出る。一方、気候変動と自然喪失も本来であれば迅速に対応しなければならないが、その結果（経済学者の言う「将来の報酬」）が現れるには一定の時間が必要だ。イギリスの中央銀行であるイングランド銀行の前総裁で、現在は国連の気候変動対策・ファイナンス担当事務総長特使を務めるマーク・カーニーは、この時間の非同期性の問題が「ホライゾン（地平線上）の悲劇」を生み出していると述べている。気候変動によって生じるリスクは、今そこにあるリスクと違って、まだ遠い先（時間的にも、地理的にも）にあるように見られがちだ。そのため、本来なら必要な対応の最優先対象とは見なされない。たとえば、地球温暖化に伴う海面上昇が物的資産（ビーチリゾートの別荘など）や企業（ホテルグループなど）に及ぼす深刻なリスクも、投資家にはさほど重く受け止められず、株価にも反映されない。

2. 因果関係の問題は分かりやすい。リスクに対応するために適切な策を講じることが難しいのと同じことだ。パンデミックの場合は、ウイルスと感染症の因果関係は至って明快だ。SARS－CoV－2（新型コロナウイルス）がCOVID－19（新型コロナウイルス感染症）を引き起こしている。陰謀論が好きな人を除けば、これについて反論する者はいない。一方、環境リスクの場合は、ある現象の直接的な原因を特定するのが、はるかに難しい。科学者が、気候変動と特定の気象（たとえば、干ばつや大型ハリケーン）の直接的な因果関係を解明することができないことも多い。同様に、人間の特定の活動がある種の絶滅の危機にどう影響しているかでも、科学者の見解が必ずしも常に一致するわけではない。因果関係を明確に特定できないことが、気候変動や生態系の崩壊リスクを緩和することを極めて難しくしている。パンデミックに関しては、蔓延を防ぐ目的で強制力のある対策が実行されても大半の国民は納得する。しかし環境リスクの場合、その原因について賛否が分かれるため、規制を強いられることに対する抵抗感が総じて高い。また、両者の違いを生む根本的な理由もある。パンデミックとの闘いは、現在の消費習慣や社会経済モデルの大幅な変更を必要としない。環境リスクの場合は、それが必要だ。

1.5.1 新型コロナウイルスと環境

1.5.1.1 自然と人獣共通感染症

動物から人間に移る感染症のことを人獣共通感染症という。人獣共通感染症が近年大幅に増加していることは、大多数の専門家や自然保護活動家の間の共通認識だ。その原因としてとりわけ取り沙汰されているのが森林破壊（二酸化炭素の排出量増加ともリンクする現象）で、動物と人間の接近や汚染のリスクを高める要因にもなっている。世界中の研究者たちは長年、熱帯雨林や豊かな野生生物などの自然環境がデング熱、エボラ、ＨＩＶなど、人類を脅かす新型ウイルスや病原体の主な発生源であり、人類にとって大きな脅威だと考えてきた。しかし今や、この考え方は誤っていて、因果関係が逆だとされている。『スピルオーバー　動物感染と人間の次なるパンデミック』の著者デビッド・クアメンは、こう述べている：「人間はこれまで、多様な動物や植物の種が生息する熱帯雨林やその他の大自然を侵略してきた。そうした動植物の体内には、未知のウイルスが数多く潜んでいる。私たちは木を伐採し、動物を殺すか檻に入れ、市場に送る。生態系を破壊し、ウイルスを自然宿主から解放してしまう。解き放たれたウイルスは、新たな宿主を探さなくてはならない。その時、選ばれるのが、多くの場合、私たち人間なのだ」[*104]。今ではますます多くの科学者が、人間による生物多様性への破壊行為が、SARS−CoV−2のような新型ウイルスを解き放つ原因だということを示すようになった。こうした研究者たちは「プラネタリー・ヘルス」という新しい学問の領域に集まっている。そこで人類の幸福と、他の生存種やすべての生態系の間に存在する微妙で複雑なつながりについて研究するのだ。その結果、生物多様性を破壊するとパンデミックの数が増えるということが明らかになった。

野生生物や環境の保護に取り組む100団体が最近、アメリカ合衆国議会に送った手紙の中で、この50年間に人獣共通感染症が4倍に増加したと推定している[*105]。1970年以降、土地の利用変更が相対的に最も大きな悪影響を環境に及ぼした（そしてその過程で人間による炭酸ガス排出量の4分の1が生み出された）。地球の陸地の3分の1以上は農業用地で占められ、農業は、最も自然を破壊する経済的行為である。最近の学術的調査によると、農地開拓に関わる農業者が、人獣共通感染症の半数以上に関係しているという[*106]。人間による農業や（鉱業、伐採や観光など多くの）活動が自然の生態系に侵入するにつれ、人間と動物の間の境界線を壊し、感染症の病原体が動物から人間に移りやすい条件を作り出している。この現象を生む要因としては、野生動物の生息地が失われることと野生動物の取引がとりわけ関連性が高い。特定の病気との関連が知られている動物（コロナウイルスの場合はコウモリやセンザンコウ）が大自然から連れ出されて、都市に送られる。つまり病原菌の宿主がそのまま人口密度の高い地域に移るということだ。実際、新型コロナウイルスの発生源とされる中国・武漢の生鮮市場がそうだったのかもしれない（それ以来、中国当局は野生動物の取引や消費を完全に禁止した）。現在、大多数の科学者は、人口が増加すればするほど、環境破壊がさらに進み、十分なバイオセキュリティ対策を講じないまま農業が推進され、新たな感染症が流行するリスクが高まると考えている。人獣共通感染症の拡大に歯止めをかけるために私たちにできることは、自然環境の保全と生物多様性の積極的な保護だ。これらを効果的に推進するため、人間と自然の関係性をもう一度考え、なぜそうすることをこれほどまでに避けてきたか自問する義務が私たち全員にある。「結論」の章で、「自然に優しい」是正策とはどのようなものか、具体的に推奨しようと思う。

1.5.1.2 大気汚染とパンデミックのリスク

もう何年も前から、大気汚染が糖尿病をはじめ、癌や心疾患、呼吸器疾患など、さまざまな健康被害を引き起こす静かな殺人者であることが知られている。大気汚染を引き起こすのは主に二酸化炭素の排出であり、地球温暖化の一因でもある。WHOによると、世界人口の90%が、安全ガイドラインに満たない汚れた空気を吸って生活しており、毎年約700万人が早死にしているという。これを受けて、WHOは大気汚染を「公衆衛生上の緊急事態」と認定するように強く促されている。

大気汚染が、あらゆるコロナウイルス（現在の新型コロナウイルス、SARS−CoV−2だけでなく）が健康に与える影響を悪化させることも分かっている。すでに2003年には、重症急性呼吸器症候群（SARS）が大流行していた最中に発表された研究論文で、大気汚染が致死率に影響すると示唆するデータ[*107]が示されていた。大気汚染レベルが高いほどコロナウイルス感染症の致死率も上昇することが初めて明らかにされたのである。それ以降、さまざまな研究で、汚染された空気を吸うことでコロナウイルスに感染しやすくなることが証明されている。アメリカで最近、大気汚染が深刻な地域ほど新型コロナウイルス感染症で死亡するリスクが高まるという医学論文が発表された。大気汚染レベルが高い郡の方が、入院する人も死亡する人も増えるというのである。[*108] 医学界も公衆衛生当局も、大気汚染と新型コロナウイルス感染症の発生リスクの間には相乗効果があり、実際にウイルスに感染したときに結果が悪くなるという見方で一致している。この研究は、まだ初期の段階であり、早いペースで進んではいるものの、大気汚染と新型コロナウイルス感染症の間に強い因果関係があるという結論には至っていない。しかし、大気汚染と新型コロナウイルスの感染力や症状の重さの間に強い相関関係があることは、現段階でもすでに明らかだ。全般に汚れた空気、中でもとくに高濃度の粒子状物質は、肺の最初の防衛線である気道を傷めると考えられている。大気汚染がひどい地域で暮らす人は（年齢に関係なく）、新型コロナウイルスに感染するリスクも、感染したら死ぬ確率も高まるということだ。欧州で大気汚染が最もひどい地域の一つ、ロンバルディア地方の新型コロナウイルス感染者の致死率が、なぜイタリアの他の地域の2倍に達しているのかは、これで説明がつくかもしれない。

1.5.1.3 ロックダウンと炭素排出量

現段階ではまだ、2020年の世界全体の二酸化炭素排出量がどれくらい減るかを予測するのは難しいが、国際エネルギー機関（IEA）が発表した『2020年版　世界のエネルギー・レビュー』

では、約8％減少すると予測している。[*109] もし予測どおりなら過去最大の排出量減少となるが、地球温暖化問題の大きさや、今後10年間、全世界の二酸化炭素排出量を毎年7・6％削減するという目標（国連は地球の気温上昇を1・5℃未満に抑えるためこれだけの削減が必要と考えている）[*110] に比べると、この8％は微々たるものだ。

ロックダウンの厳しさを考えると、8％という数字には失望する。この予測値を見る限り、どうやらロックダウン以降も操業を続けてきた「大規模な二酸化炭素排出業種」である発電所、農業やロックダウン中も操業していた産業（一部例外もある）の排出量が依然として大きく、個人の行動変化（消費を抑制し、移動に車や飛行機を使わない）の貢献は小さいようだ。また、もう一つ明らかになったことがある。それは、二酸化炭素排出の「主犯格」である産業は、必ずしも、一般的にそう認知されている産業とは限らないということだ。最近発表された持続可能性に関する報告書によると、電子機器やデータ通信に消費される電力から出る炭素の量は、全世界の航空業界が出す炭素の量とほぼ同じだという。[*111] ここからどのような結論を導き出せるだろうか。過去に例のない、極めて厳しいロックダウンによって世界人口の3分の1が1カ月以上も自宅に閉じ込められたにも関わらず、これによる炭素の減少は、実行可能な温暖化防止策の足下にも及ばなかった。なぜならば、ロックダウン中も世界の経済は大量の二酸化炭素を排出し続けたからだ。では、地球温暖化防止に有効な戦略とは、どういうものなのか。課題の大きさと範囲を考えれば、次の二つを組み合わせるしかない。⑴世界を機能させ続けるために必要なエネルギーを生産する方法の抜本的かつシステミックな変化、⑵私たちの消費行動の構造的変化、だ。コロナ危機が終わって、以前の生活（同じ車に乗り、同じ目的地に飛行機で向かい、同じものを食べ、家を同じように暖めるなど）に戻ろうとするなら、温暖化防止に関してはコロナ危機はまったく無駄になるということだ。逆に、パンデミックによって仕方なく導入した新しい習慣が消費行動の構造を変化させるなら、温暖化防止対策の成果も違ってくるかもしれない。通勤を減らし、リモートワークを少し増やし、車から自転車や徒歩に変えることで、街の空気をロックダウン中と同じぐらいきれいに保つ。そして休暇の旅行先も以前よりは近場にする。こうした行動が積み重なれば、二酸化炭素の排出を継続的に減らすことができるかもしれない。重要な問いが私たちに突きつけられている。結局、このパンデミックは、地球温暖化防止政策にプラスの影響をもたらすのだろうか、それともマイナスの影響をもたらすのだろうか。

1.5.2 気候変動やその他の環境政策へのパンデミックの影響

新型コロナウイルス感染症はこれから何年間も、さまざまな政策の中心テーマになるはずだ。一方で、このパンデミックの前では環境問題が霞んでしまうという深刻なリスクもある。分かりやすい例がある。２０２０年11月に第26回国連気候変動枠組条約締約国会議（ＣＯＰ26）が開催される予定だったグラスゴーのコンベンションセンターは、４月に新型コロナウイルスの感染者を受け入れる病院に転用されてしまった。気候変動について話し合う多国間交渉はすでに予定より遅れており、これまでに決定した政策の実行時期も先延ばしになっている。そこでささやかれている説が、各国の政府首脳はしばらくの間、パンデミック危機が多方面にもたらす緊急課題への対応に追われるだろうというものだ。一方、別の説もある。このコロナ危機を無駄にすることはできない、今こそ持続可能な環境政策を打ち出すべきという声が、一部の国の指導者、実業界の大物や著名なオピニオンリーダーたちから上がっているというのだ。

実際、コロナ危機が終わって、世界が気候変動にどう取り組むかを考えると、二つの正反対の方向性があり得るだろう。一方は、最初の説に沿ったシナリオだ。パンデミックによる経済への打撃があまりに大きく、復興に向けた取り組み方も難しく、実行も複雑なため、大半の国が、地球温暖化問題を「一時的に」に棚上げして経済の立て直しに専念するというものだ。そうなれば、化石燃料に依存し、二酸化炭素を多く排出する産業への財政支援や刺激策を政策として打ち出すことになる。さらに環境を重視するそれまでの方針を転換し、経済の早期回復の足かせになる厳しい環境基準を緩和し、企業には可能な限り生産量を増やし、国民にはできるだけ多く消費するように促すだろう。もう一つは二番目の説に触発されたものだ。今回のパンデミックをきっかけに、多くの国民の間で芽生えた、これまでとは違う生き方もあるという新しい社会意識や、環境保護活動家の圧力によって、政府や企業が動き出す。社会の正義のために、経済をより持続可能な形に設計し直す千載一遇の好機を逃してはなるまい。

この正反対の二つの可能性についてさらに細部まで検証してみよう。言うまでもなく、どちらも国や地域（たとえばＥＵ）によって変わる。二つの国がまったく同じ政策を取ることもなければ、同じスピードで進むこともない。しかし、究極的には両者とも炭素依存型の社会から脱却する方向に進むべきだ。

パンデミックが収束に向かい始めると、環境に向けられていた関心が薄らぐ可能性がある。そう考える理由は主に三つだ。

1. 政府は、失業の増加を食い止め、「何が何でも」経済の復興を推し進めることが最も全体の利益にかなうと考える可能性がある。

2. 企業に、売上回復という圧力が強くのしかかるため、事業の持続可能性やとりわけ環境への配慮は二の次にされる。

3. 原油価格が安い（相場が下がったままの場合だが、その可能性は高そうだ）と、消費者も企業もこれまで以上に化石燃料に依存する可能性がある。

上記三つの理由はいずれも説得力があるが、他の理由で世の中が逆の方向に向かう可能性もある。理由は主に四つ。それが実現すると、世界はよりきれいに、そしてより持続可能になるかもしれない。

1. リーダーの見識　気候変動にこれまで積極的に取り組んできた一部の指導者や政策決定者たちは、パンデミック・ショックを利用して、環境の変化をより広い範囲で長く定着させようと考えるかもしれない。彼らは、パンデミックを無駄にせず「有効利用」しようとするだろう。「再建するなら、よりよいものに」という方向に進むことを奨励するこうした良識派の中には、イギリスのチャールズ皇太子やニューヨークのアンドリュー・クオモ知事がいる。また、国際エネルギー機関（IEA）との共同宣言の中でクリーンエネルギーへの移行が経済復興の促進に役立つという考えを表明したデンマークのダン・ヨルゲンセン気候・エネルギー・供給相もその一人だ。宣言文の中でこう語っている。「世界中の首脳がいま、大規模な景気刺激策を用意している。その中には、短期的に景気を浮揚するものもあれば、何十年も先を見据えたインフラ整備計画も含まれている。われわれは、クリーンエネルギーを政策の必要不可欠な柱の一つにすることによって、雇用や経済成長を促進することができると考えている。そして同時に、それぞれのエネルギーシステムは近代化され、回復力も高まり、汚染は減少する[*112]」良識あるリーダーが率いる政府であれば、環境対策に取り組むことを景気刺激策の条件にするだろう。低炭素型ビジネスモデルを確立した企業に、より手厚い資金援助をするというようなことも考えられる。

2. リスク意識　このパンデミックによって私たちは、人間が直面するリスクに対する意識を大幅に高め、世界が密接につながっていることを再認識させられた。新型コロナウイルス感染症は、危険を知りながら科学や専門知識を無視したりすると、その行動が重大な結果を招くことも思い知らせてくれた。存続に関わる危機とはいったいどういうことか、またそのリスクに必然的に伴うものは何か。このパンデミックは、そのことをより深く理解させてくれた。できれば、そうした教訓のいくつかを、気候変動リスクに当てはめればいいと思う。グランサム気候変動・環境研究所のニコラス・スターン所長はこう語っている。「これまでに目の当たりにしたあらゆることから学んだものだがあるとすれば、われわれは変えることができるということだ。（中略）将来、このようなパンデミックはまた起こるし、その備えをより万全にしておく必要があることを認識しなければならない。（しかし同時に）気候変動はもっと深く、大きな脅威であり、消え去ることもない。しかも喫緊の課題だ[*113]」。パンデミックやその肺への影響を心配してきたこの数カ月の間に、私たちはきれいな空気の大切さを痛感するようになった。ロックダウン期間中、多くの人が目や鼻できれいになった空気を実感した。それが、あと数年の間に有効策を打たなければ、地球温暖化と気候変動が最悪の結果をもたらすのを食い止められなくなるという共通認識につながる可能性がある。もしそうなれば、社会を（集団であれ個人であれ）変革する流れが生まれる。

3. 行動変容

(1)と(2)で指摘した変革が現実のものになれば、結果として、社会全般の意識や要求はこれまで考えられていた以上に、より持続可能な社会を望む方向に進むかもしれない。ロックダウン期間中、私たちは生活必需品だけを入手することを余儀なくされ、「より環境に優しい暮らし」を選択する以外になかった。この傾向が続けば、本当には必要としないものはすべて無視するようになって、環境保全につながる好循環を動かすことができるかもしれない。同様に、在宅勤務（それが可能な場合）にした方が、環境にも自分の幸福にもメリットがある（通勤は幸福感を「破壊する」。通勤時間が長ければ長いほど、心身のストレスが増える）と判断する人が増えるかもしれない。働き方、消費行動や投資という構造変化が社会に広がって定着するには、もう少し時間がかかるかもしれない。しかし前述したように、最も重要なのはこの傾向の方向と強さなのだ。中国の詩人で哲学者の老子が残した格言「千里の道も一歩から」はまさにポイントを突いている。私たちは長く険しい再生の道を歩み始めたばかりだ。多くの人にとって、持続可能な社会の実現はまだ遠い先のことように見えるかもしれない。しかし、状況が好転し始めれば、多くの人が改めてコロナ危機と大気汚染の間に因果関係があったことを思い出すだろう。そうなると持続可能性はもはや二次的な課題ではなくなり、気候変動（大気汚染と密接に関連する問題）が私たちの最大の関心事になる。そこまで行けば、社会科学者たちが言うところの「行動の伝染」（態度、概念や行動が全国民に広がる様子）が起き、マジックが始まる。

4. 行動主義 一部のアナリストはパンデミックが行動主義を衰退させるきっかけになるとしているが、まったく正反対になることも十分に考えられる。欧米の学者によると、新型コロナウイルスは変革の動機を強め、社会運動の新しい手段や戦略をもたらしてきた。ほんの数週間の間に、この研究者グループはさまざまな形態の社会運動に関するデータを集め、そこから物理的なもの、バーチャルなもの、そしてその両方を組みわせたハイブリッドなものまでを含む、およそ100近くの非暴力的な活動の方法を洗い出した。そこから導き出した彼らの結論はこうだ。「緊急事態が発生すると、それを契機に新たなアイデアやチャンスが生まれることが多い。新たなスキルや意識が長期的にどのような影響をもたらすか予測はできないが、明らかに市民の力は衰退していない。むしろ、世界各地で繰り広げられている運動は、リモートで組織し、複数の拠点を作り、より強いメッセージを発信し、次に何が来るかを予見して、それに対処するための戦略を立てている」[*114]。もしこの評価が正しければ、ロックダウン期間中、ソーシャルディスタンシングやフィジカルディスタンシングのルールを順守しながら行動を抑えてきた活動家たちが、ロックダウンが解除されれば新しいエネルギーをみなぎらせて再び浮上してくる可能性がある。ロックダウン中に見て感じたこと

（たとえば大気汚染の減少）に勇気づけられた気候変動問題の活動家たちは、これまでの倍の努力で企業や投資家に強いプレッシャーをかけるようになるだろう。第二章で見ることになるが、投資家たちの活動も無視できなくなる。彼らが新しい強力な手段を、社会活動家たちの主張に付け加えて、さらに強化することになる。分かりやすくするために、次のような状況を考えてみる。環境保護活動家が火力発電所の前でデモをし、汚染規制の強化を求めている。その頃、環境保護推進派の投資家グループがこの発電所を運営する会社の役員室に乗り込み、同じ要求を掲げ、それを飲まない場合はその発電所のための資金を凍結すると経営陣に突きつけるのである。

これら四つの理由には、事実に裏付けられた証拠がたくさんあり、環境に優しい社会の形成に向けた動きはやがて社会に広く定着するという希望を抱かせる。下記に紹介する事例はいずれも違う分野で起きたことだが、どれも同じ方向を指している。それはわれわれの未来が、一般的に考えられている以上に環境に優しい世界になることを予感させるということだ。下記の四つの事例を見れば、その予感が確信に変わるかもしれない。四つの理由と照らし合わせながら考えてみる。

1.　２０２０年6月、世界屈指の石油会社（「スーパーメジャー」の一角を担う）ＢＰは、資産の総額を１７５億ドル（約1兆９０００億円）も減らした。パンデミックの影響で、よりクリーンなエネルギーへの移行が世界中で加速すると判断したからだ。他のエネルギー会社も近く同じように動くと見られている。[115] また、マイクロソフトをはじめとする大手グローバル企業数社は、2030年にはカーボンネガティブ（企業が排出する二酸化炭素をマイナスにすること）を実現すると宣言した。

2. 欧州委員会が打ち出した欧州グリーンディールは、コロナ危機を無駄にしないためにまとめた大規模な環境対策であり、公共機関が表明する行動計画としては内容が最も具体的だ。[116] 最大1兆ユーロを投じるこの構想では、排出量の削減と循環型経済の実現に向けた投資を通じて、最小の資源を可能な限り効率よく活用しながら経済成長を推し進め、2050年には欧州を世界初のカーボンニュートラル（総排出量ベースでゼロにする）大陸にすることを目標に掲げた。

3. さまざまな国際的調査によると、世界中の市民の大半は、コロナ危機で落ち込んだ経済の回復を図るにあたって、気候変動の問題を優先することを望んでいるという。[117] G20諸国だけを見ても、かなりの割合（65%）の市民がグリーンリカバリーを支持している。[118]

4. 韓国のソウル市など、いくつかの都市では、パンデミック後遺症の緩和策の一環として、脱炭素社会を目指す姿勢をより鮮明にする独自の「グリーンニューディール」構想を立ち上げ、実施に移した。[119]

こうした動きの方向性ははっきりしているが、それを体系的な変化にまで結びつけるには、政策立案者やビジネスリーダーたちがコロナ危機から脱却する景気刺激策を利用して、自然を優先（ネイチャーポジティブ）する経済をスタートさせなければならない。これは単に公共投資だけの話ではない。民間資本をネイチャーポジティブな経済価値に投入するためには、主要な政策や公共資金を、より広範な経済的リセットを促す方向に振り向けることが鍵だ。また、国土形成や土地利用規制の見直し、財政や補助金制度の改革、拡張や展開を加速するイノベーションの促進、それに研究開発の強化、金融の混合化や重要な経済的資産として見た自然資本のより適正な計測など、さまざまな取り組みをより強力に推進することが強く求められる。多くの政府はそうした施策を取り始めているものの、経済システム全体をネイチャーポジティブな新しい基準の方に動かすために、そして世界中の大半の人々に、そうすることが急務というだけでなく、大きなチャンスでもあることに気づかせるために、やらなければならないことがまだたくさんある。環境シンクタンクのシステミックが世界経済フォーラムと共同で発表した政策提言書[*120]では、ネイチャーポジティブ経済の構築を進めると、2030年まで新たな経済活動の創出やコストの削減を通じて毎年10兆ドル以上の経済効果が期待できるとしている。短期的には、景気刺激策の予算のうち、約2500億ドルをネイチャーポジティブ分野に投じれば、この分野だけで極めて効率的に3700万人の雇用を生み出すことができると試算している。環境をリセットするために必要になる経費は、コストとして考えるのではなく、新たな経済活動と雇用機会を創出するための投資として見るべきだ。

新型コロナウイルス感染症の脅威がこれ以上長続きしないことを願う。この事態はいずれ収まる。それとは対照的に、気候変動の脅威やそれに伴う異常気象は、予見し得る将来もその先も、起こり続けるだろう。気候変動リスクが顕在化するには、パンデミックよりも時間がかかる。それでいて、パンデミック以上に深刻な結果をもたらす。その深刻度は、パンデミックに対する政策の効果に大きく左右されるだろう。経済復興に向けた政策の一つ一つは、私たちの暮らし方にすぐに影響する。同時に、これから何世代にもわたって地球規模の影響をもたらす二酸化炭素の排出量にも関係してくる。これまで議論してきたように、どのような選択をするかは私たち自身に委ねられているのだ。

1.6 テクノロジーのリセット

2016年、『第四次産業革命　ダボス会議が予測する未来』（日本経済新聞出版）を出版したとき、こういう主旨のことを書いた。「テクノロジーとデジタルが今後あらゆるものを大きく変えることになる。あまりにも使い古され、しかも間違って使われてきた『今度は違う』という言葉も、今回は正しいということになるだろう。簡単に言えば、大規模な技術革新が今まさに世界各地で歴史的な変化に拍車をかけようとしているのである」[*121] それからわずか4年。テクノロジーの進化は驚くほど急ピッチで進んだ。AIは今や暮らしに溶けこんでおり、ドローンや音声認証から、仮想アシスタント、翻訳ソフトまで、至るところで使われている。モバイル機器は、プライベートでも仕事でも欠かせないものになり、さまざまな場面で私たちを助けてくれる。何をしたいか先読みしてくれるし、話しかければ聞いてくれるし、どこにいるという位置も教えてくれる。時には頼んでもいないのにやってくれるのだ。オートメーションとロボットは企業経営に変革をもたらす。それも驚くほどのスピードで、さらにほんの数年前には予想もできなかった規模の利益をもたらしてくれる。夜明けを迎えつつある合成生物学をはじめ、遺伝子学の技術革新も目覚ましく、最先端医療への道を切り開いている。バイオテクノロジーはまだ、病気を防ぐことはおろか、治療することもできずにいるが、最新の技術革新のおかげでコロナウイルスのゲノムの特定とシーケンシング（配列の決定）もいままでよりはるかに速くなり、より効果的な診断法を開発できるようになった。さらに、ＲＮＡプラットフォームやＤＮＡプラットフォームを利用した最先端のバイオテクノロジー技術を使えば、今までよりもずっと短期間のうちにワクチン開発が可能になる。これらもまた、新しい遺伝子治療の開発に役立つかもしれない。

つまり第四次産業革命はその範囲といいスピードといい、これまでも目覚ましかったし、これからも目覚ましいということだ。この項では次のことを考える。今回のパンデミックは技術革新を今まで以上に加速し、すでに進行しているテクノロジーの変化を促し（国内外の問題にテクノロジーが悪影響を与えてきたのと同じことだ）、すべてのデジタル事業、あるいはあらゆる事業のデジタル分野を「ターボで加速する」。パンデミックはまた、テクノロジーが社会と個人に突きつける、避けて通れぬ課題も浮上させた。プライバシーの問題だ。接触者追跡技術には想像できないような可能性があり、新型コロナウイルス感染症との戦いにほぼ欠かせない役割を担う。しかし同時に一方では位置を特定され、監視社会にもなりかねない。その問題もここで議論する。

1.6.1 加速するデジタルトランスフォーメーション

パンデミックは「デジタルトランスフォーメーション（情報通信技術の浸透が人々の生活をあらゆる面でより良い方向に変化させること）」がブレイクするきっかけとなった。この言葉は数年前からアナリストがしきりに使っていたものの、誰もその意味を正確に分からずにいた。自宅隔離の最大の影響は、デジタル世界がまっしぐらに拡大、進歩し、元には戻らないことだろう。それが目に見えて分かるのは、オンライン会議、娯楽のためのストリーミング動画、デジタルコンテンツ全般の増加といった、ありふれた側面だけではない。企業経営にさらに根深い変化を迫ったことも間違いない。これについては、次項でより詳しく説明する。２０２０年4月、テクノロジーの第一線にいる人々の一部はすでに気づいていた。医療危機から生じたニーズが、迅速かつ徹底的、広範囲にテクノロジーの導入を加速していた。たった1カ月の間に、テクノロジー分野で多くの企業が、数年分の進歩を早回しで遂げた。ＩＴに詳しい人々にとっては喜ばしいことだったが、そうでない人にとってはあまりにも（ときには絶望的なほど）先行きが暗かった。マイクロソフトのＣＥＯ、サティア・ナデラは、ソーシャルディスタンシング、またはフィジカルディスタンシング

（人的接触距離の確保）を求める動きから生まれた「何でもリモートで」という風潮が、今後2年以内に幅広い分野でテクノロジーの採用を加速させると見ている。一方、グーグルCEOのサンダー・ピチャイはデジタル活動の想像以上の飛躍に目を見張るとともに、オンライン勤務、教育、ショッピング、医療やエンターテイメントなど、さまざまな分野に「重大で長期的な」影響がもたらされると予測している。[*122]

1.6.1.1 消費者

ロックダウンを強いられたことで、これまでデジタルのソフトやサービスに依存しすぎないよう尻込みしていた消費者の大半は、ほぼ一夜にしてやむを得ず生活習慣を変えさせられてしまった。映画館に行く代わりにオンラインで映画を鑑賞し、外食の代わりに宅配を利用し、直接会う代わりに友人と遠隔で話し、コーヒー自販機の前での同僚との無駄話がモニター越しのおしゃべりになり、ジムには行かずにオンラインでエクササイズをする。あっという間に、ほとんどの物事の頭に「e」がついた。「eラーニング」、「eコマース」、「eゲーミング」、「eブック」、「e出席」、というように。以前の生活習慣の一部は間違いなく戻るだろう（人との触れあいから得られる喜びや楽しみは何物にも代えがたい。結局のところ、人は社会的動物なのだ）。しかし、強制的自宅待機の間に仕方なく取り入れた、テクノロジーの助けを借りた行動の多くにも慣れ、やがてなじむだろう。ソーシャルディスタンシング、フィジカルディスタンシングが続けば、コミュニケーションでも仕事でも、アドバイスを求めるにせよ、何かを注文するにせよ、今までよりもデジタルプラットフォームに頼ることが増え、これまでの生活習慣に少しずつ根づいていく。また、オンラインとオフラインを比較したメリットとデメリットが、さまざまなレンズを通して常に吟味されることになるだろう。健康への配慮が最重要になれば、人々はこう判断するだろう。家にいて画面の前で受ける屋内エアロバイクのレッスンは、リアルなクラスで味わうグループでの開放感や楽しさにはかなわない。だが、実際のところ、リアルよりも安全だ（しかもずっと安い！）。この論理は多くの場面に当てはまる。たとえば、出張で飛行機に乗る（ズームの方がずっと安全で安く、環境に優しく、はるかに便利）、長距離ドライブを伴う週末の帰省（ホワッツアップメッセンジャーのファミリーグループは実際に会う楽しさにはかなわないが、やはり格段に安全で、安く、環境に優しい）、大学や大学院に通う（充実感には欠けるが、より安く、より便利）などなど。

1.6.1.2 規制当局

仕事やプライベートの暮らしの中で「あらゆるものが」デジタル化に向かうのは、規制当局も支持し、後押しするだろう。今まで政府は、どうしたらベストの規制の枠組になるか長々と検討し、新しいテクノロジーの実用化ペースを遅らせてばかりいた。だが今まさに遠隔治療やドローン配送の例が示すように、必要に迫られれば劇的に加速することもある。何年も前からテクノロジーは使えたのに規制がネックになっていた各領域が、ロックダウン中にいきなり、ほぼグローバルに緩和された。よりよい手段やそれ以外の選択肢がなかったからだ。つい最近まで想像もできなかったことが急に可能になった今、遠隔治療の手軽さと便利さを経験した患者も、それを実現させた規制当局も、どちらももう元に戻りたがらなくなる。これは明白だ。新しい規制は、このまま定着するだろう。似たような話がアメリカ政府と連邦航空局との間で展開しており、他の国でもドローン配送に関して早急にルールを決めるべく動いている。何が何でも「非接触エコノミー」を推進すべきだという目の前の緊急事態、それにスピーディーな実施に規制当局が前向きなら、もはや行く手を阻むものなどない。つい最近まで扱いがややこしかった、遠隔治療やドローン配送といった分野がそうなら、モバイル決済のようにもっと日常的ですでに規制が十分整った領域もしかりだ。よくある例を一つ挙げよう。ロックダウンのさなか（2020年4月）に欧州の銀行監督当局は、個人のモバイル機器での購入支払い額上限を引き上げ、同時にこれまでペイパルやベンモといったプラットフォームでの電子決済を難しくしていた承認要件を緩和することを決めた。こうした動きは間違いなく、人々の日常生活にデジタルが「普及」する追い風となる。ただしこれには、防ぎきれないサイバーセキュリティの問題もついてまわるが。

1.6.1.3 企業

どういう形であれ、ソーシャルディスタンシング、フィジカルディスタンシングは、パンデミックそのものが下火になっても続くだろう。そのため、さまざまな業界で多くの企業は、オートメーション化を急ピッチで進める決断を下している。人と人との接触ができるだけ少ない職場に変えていく必要性が強調されると、技術革新が失業を招くという根強い不安もそのうち収まってくるだろう。確かに、人間が互いにあまり近づけない業界や、交流を減らしたい業界にはオートメーションの技術はうってつけだ。人々につきまとう、そしておそらくこれからも続く、(新型コロナウイルスをはじめとする)ウイルス感染への恐怖はこうして、オートメーション化へのたゆみない歩みへの追い風になるが、影響を受けやすい分野はとりわけ変化が速い。2016年、オックスフォード大学の2人の学者はこう述べた。レストランの仕事の86%、小売の仕事の75%、そして、エンターテイメントの仕事の59%が、2035年までに自動化されるというのである。*123 この三つはまさにパンデミックでとくに打撃を受けた業界だ。衛生や清潔さに対応したオートメーション化が必須になってくれれば、さらなるIT化やデジタル化への移行が急ピッチで進むだろう。もう一つ、オートメーション化の拡大を後押しする現象が予想できる。それは、ソーシャルディスタンシングの後に起きる、「エコノミックディスタンシング（経済的距離の確保）」だ。国家が内向きになり、グローバル企業の（効率性は極めて高いが、極めて脆弱な）サプライチェーンが縮小すると、より近くでの生産を可能にし、コストを抑えられるオートメーション化やロボット化がますます求められるようになるだろう。

オートメーション化への流れは、何年も前から始まっていた。しかしここでも見過ごせないのは、変化や移行のスピードが加速していることだ。パンデミックによって、職場のオートメーション化、それに、職場と家庭の両方で、より多くのロボット導入が早送りで進むだろう。ロックダウンが始まった当初から、人的労働力を調達できない場合にロボットやＡＩが「ごく当たり前の」選択肢になるのは明らかだった。そのうえ、この二つは生身の従業員の健康リスクを減らすには欠かせない。物理的距離の確保が社会的ルールになると、倉庫やスーパー、病院などさまざまな場所にロボットが配備され、棚の在庫管理（ＡＩがすでにめざましい進出を遂げた分野）から清掃まで、幅広く活躍した。もちろん、ロボットによる宅配もだ。これはまもなく、医療のサプライチェーンに不可欠の要素となり、やがて食料品をはじめとする生活必需品の「非接触」宅配に発展するだろう。（遠隔医療のように）導入が近々見込まれているその他のテクノロジーについては、現在、企業や消費者、公的機関が総力をあげて一刻も早い導入を目指している。杭州、ワシントンＤＣ、それにテルアビブなどの都市では、大量の宅配ロボットを路上や空中で動かせるよう、試験段階から大規模運用に向けての取り組みが進んでいる。中国ｅコマースの大手、アリババや京東商城は自信たっぷりに、今後一年から一年半の間に自動宅配サービスは中国全土に広がると述べている。これはパンデミック前に予測されていたよりもはるかに速いペースだ。

オートメーション化の代表例として大いに注目されがちなのは産業用ロボットだが、思いきった加速化の波はソフトウェアや機械学習を通じて職場にも押し寄せている。ＲＰＡ（ロボティック・プロセス・オートメーション）と呼ばれる、ソフトウェアロボットによる業務自動化は、人間の労働者に取って代わるソフトをインストールして業務をさらに効率的にする。ＲＰＡはさまざまな形で応用され、幅広く活用されている。マイクロソフト社の財務グループは種々雑多なレポートやツール、コンテンツを、一つのポータルに統合、簡略化した。このポータルは、自動化され、役割ベースにパーソナライズされている。ある石油会社はパイプラインの写真をＡＩエンジンに送信して既存の写真のデータベースと比較し、問題が発生しそうだと分かれば関係する従業員に警告を発する。どの事例でも、ＲＰＡでデータの収集と検証にかかる時間が縮められ、コストも削減できる（それと引き換えに失業率の上昇を招きやすくなるのは、「経済的リセット」の項で述べたとおりだ）。パンデミックがピークのとき、処理量が急増しても効率の良さを存分に発揮し、ＲＰＡが注目された。この流れでいけば、パンデミック後にもこのオートメーション化は発展し、急成長するだろう。その予想を裏付ける二つの例がある。RPAソリューションを新型コロナウイルス検査結果の伝達に導入したところ、看護師の仕事が1日3時間も削減できた病院がある。また、従来は顧客のオンライン対応に使われていたAIデジタルデバイスが、患者の新型コロナウイルス感染症の症状を検出するオンライン・スクリーニングの医療デジタルプラットフォームに導入され、役立っている。これらすべての理由から、コンサルティング企業のベイン・アンド・カンパニーは、事業プロセスのオートメーション化を導入する企業の数が今後2年で倍になると予想しているが、パンデミックによってさらに短縮される可能性もある。*124

1.6.2 接触確認、接触追跡と監視

パンデミックへの対応が優れている国々（とくにアジア諸国）を見ると、一つ大事なことが分かる。テクノロジー、とりわけデジタル技術が威力を発揮しているのだ。接触確認（コンタクトトレーシング）がうまくいけば間違いなく、新型コロナウイルス感染症対策の鍵となることが分かっている。ロックダウンによって新型コロナウイルス感染症の再生産数は減るが、だからといってパンデミックの脅威が減るわけではない。しかも、経済的・社会的なコストがあまりにも高い。効果的な治療法やワクチンがなければ、このウイルスと闘うのはほぼ無理だ。だからそれまでウイルスを抑

制する、つまり感染を止める効果的な方法は、検査を拡大し、感染者は隔離して、接触確認によって感染者に接触した人も隔離することしかない。その流れの中でテクノロジーが極めて効率的な近道になりうる。公衆衛生当局が感染者をスピーディーに特定でき、感染が広がる前に大流行を封じ込めることができるのだ。

接触確認と接触追跡はしたがって、新型コロナウイルス感染症に対応するために公衆衛生上欠かせないものだ。「接触確認（コンタクトトレーシング）」と「接触追跡（コンタクトトラッキング）」はほぼ同義語として使われているが、意味は微妙に違う。接触確認アプリからは、リアルタイムに分析結果が得られる。たとえば、人物の現在位置を、GPSのデータあるいは携帯基地局の地理的位置情報によって特定する。対して接触追跡では、分析結果はあとから入ってくる。たとえば、ブルートゥースインターフェースの記録で人と人の物理的接触を特定するなどだ。どちらの方法も、パンデミックの拡散を完全に止められる魔法のソリューションを提供してくれるわけではないが、どちらもすぐに警報を発し、早めに介入ができるため、感染拡大の抑制、または封じ込めができる。とりわけ、通常よりもはるかに感染が広がりやすいスーパースプレッディング現象が起きる場所（たとえばコミュニティや親族の集まりなど）で威力を発揮する。この「接触確認」と「接触追跡」を、利便性と読みやすさを考え、これ以降は、同義語として扱う（世間のメディアもたいていは同じスタンスだ）。

接触確認の最も効果的な形はもちろん、テクノロジー主導の方式だ。これならば、携帯電話のユーザーが接触した相手をすべてさかのぼってたどったり、ユーザーの居場所をリアルタイムで追跡したりできる。その一方で、ロックダウンを効果的に実施したり、このユーザーの近くにいる他のユーザーに感染者との接触があったことを警告したりもできる。

当然のことながら、デジタル接触確認は公衆衛生という意味でもとりわけデリケートな問題であり、プライバシーへの強い懸念を世界中で引き起こしている。パンデミックの早い時期に、多くの国が（ほとんどが東アジアだが、その他イスラエルのような国でも）それぞれ独自の形式でデジタル接触確認を実施する方針を固めた。その方針も刻々と変わった。過去にさかのぼって感染経路を追跡するものから、新型コロナウイルス感染者の行動を制限するためにリアルタイムで行動を追うようになり、続いて隔離や部分的なロックダウンなどを徹底させるようになった。中国、香港特別行政区、それに韓国は当初から、強制的かつ干渉的なデジタル感染確認対策を実施した。こうした国々の当局は、本人の同意を得ずに個人の追跡を行う決定を下したが、それは携帯電話やクレジットカードのデータ、果ては監視カメラまで（韓国の例）動員して行うものだった。そのうえ、国によっては旅行から戻った人や、自宅中の人を対象に電子リストバンドの着用を義務付け（香港特別行政区）、感染する確率の高い人々に注意を促した。それ以外の国は、「中庸の」方策を取った。強制自宅待機中の人に携帯電話を持たせて現在の位置をモニターし、もしその人がルールを破った場合には個人名を公表するというのである。

デジタル追跡ソリューションの中でも最も脚光を浴び、話題になったのは、シンガポール保健省が運営するトレーストゥギャザー（Trace Together）アプリだ。効率性とプライバシーの「理想的」なバランスを保っているように見えるのは、データ保管場所がサーバーではなく携帯電話であり、しかも匿名ログインＩＤを付与されるからだ。接触の確認には、最新版のブルートゥース機能が必要になる（ということは、デジタル化があまり進んでいない多くの国ではパフォーマンスを発揮できない。こうした国々では携帯電話の大多数が、高精度の検出ができるブルートゥース機能を十分に備えていないからだ）。ブルートゥースは、同じアプリを使う別の匿名ＩＤユーザーとの物理的接触を正確に、約2メートル以内の範囲で特定する。もし新型コロナウイルスの感染リスクが発生したら、アプリが接触の警告を出すが、ここで初めて、保存されたデータをシンガポール保健省に送信する義務が生じる（ただし、送信者の匿名性は守られる）。トレーストゥギャザーはプライバシーには干渉せず、そのプログラムはオープンソースとして公開されているので、世界中のどの国でも自由に活用できる。しかし、プライバシーを気にする人々はそれでもリスクがあると反対している。仮に、一国の国民全員がこのアプリをダウンロードした上で、もしも新型コロナウイルスの感染者が急激に増えたら、このアプリでほとんどの国民が検出されることになってしまう。サイバーによる干渉、システム運用者の信用問題、それにデータ保管期間の問題も、プライバシーが侵害されるという懸念をもたらしている。

選択の基準は他にもある。たいていは、オープンで検証可能なソースコードがあるか、データ管理は安全か、データの保管期間が守られるかなどだ。とくに、パンデミックによってプライバシーか身の安全かの選択を迫られることに、恐怖感を抱く市民が多いＥＵ（欧州連合）では、共通の基準や規範があってもよいだろう。しかし、欧州委員会で競争政策を担当するマルグレーテ・ベステアー委員はこう語っている。

それは実は二者択一ではないのではないか。プライバシーを侵害せずに、テクノロジーでできることは無数にある。最近よく思うのが、このやり方でしかできないと誰かが言い張るときは、利己的な目的でそのデータを欲しがっているのだ。指針は一通り作ったし、メンバー国と協力して翻訳版を作り、すぐに使えるようにもした。これで、分散ストレージを使ったブルートゥースアプリを自由に作れる。このテクノロジーはウイルス追跡に使えるが、選択の自由もある。こんなふうにすれば、これはウイルス追跡に特化したもので、他意はないと信頼してもらえるだろう。肝心なのは、本気で伝えることだ。テクノロジーを使うならそれは信用できるものであるべきで、監視時代が始まるわけではないと伝えよう。ウイルスを追跡するためのものので、オープンな社会を作る役に立つのだから。[*125]

現在の状況は、変化が激しく、予断を許さないことを改めて強調しておきたい。アップルとグーグルはこの4月に、保健当局が感染者の動きやつながりを逆行して分析できるアプリを、共同で開発すると発表した。ここでは、データプライバシーやデジタル監視を何よりも懸念する社会のために打開策も示されている。スマートフォンユーザーは自己判断でアプリをダウンロードし、データ共有に同意しなければならないが、両社はこのテクノロジーを、自分たちのプライバシーガイドラインを守らない保健当局には絶対に提供しないと明言した。しかし、任意で使う接触確認アプリには一つ問題がある。確かにユーザーのプライバシーを守ってくれるが、参加率が十分に高くなければ効果がない。これも個人主義的な権利や、社会契約上の義務の下で、がっちりと相互に接続された現代社会における集団行動の問題である。もし人々が自分の個人データを、システムを監督する政府機関に提供したがらなかったら、どんな接触追跡アプリも役に立たない。アプリのダウンロードを拒否する人がいたら（しかも感染の可能性や行動、接触先に関する情報を提供しなかったら）、全体に悪影響が及ぶ。いってしまえば、国民は信用できると思って初めてアプリを使うが、その行動はもちろん政府や国の諸機関への信頼の上に成り立っている。２０２０年の6月末時点で、追跡アプリの使用体験は始まったばかりだが、低迷している。実施に踏み切ったのは30カ国足らず。[*126]ヨーロッパではドイツやイタリアがアップルとグーグルが開発したシステムの上でアプリを本格展開したが、それ以外の国、たとえばフランスでは、国家主導で独自のアプリ開発に乗り出したものの、相互運用上の問題を起こした。総じて、技術的な問題やプライバシーへの懸念が、アプリの使用や導入率に影響を与えているように見える。各国の実例を挙げよう。イギリスは技術的な不具合やプライバシーに関する活動家からの批判を受けて方向転換し、国内で開発した接触追跡アプリをアップルとグーグルが提供するモデルと差し替えることを決めた。ノルウェーはプライバシーへの懸念からアプリの使用を中止し、フランスではストップコーヴィッド（StopCovid）アプリの導入からたった3週間で展開にあっけなく失敗した。参加者（190万人）が極めて少なく、アプリを入れても削除する人があとを断たなかったからだ。

全世界には現在、約52億台のスマートフォンがあり、その一つ一つにもしかしたら、感染した人や場所、それにほとんどの場合、感染源まで特定できる機能を備えられるかもしれない。これが、人類史上前例のないチャンスであることが、アメリカとヨーロッパでそれぞれロックダウン期間中に行われたいくつもの調査結果で裏付けられているようだ。（非常に限られた分野とはいえ）公的機関によるスマートフォン追跡を支持する人が増えている。しかし、政策の細かい部分やその施行には落とし穴が付き物だ。「デジタル追跡は義務か、任意か」、「データ収集は匿名ですべきか、個人ベースですべきか」、「情報収集は非公開で行うか、公開で行うべきか」という問いに答えようにも、その判断には実に多彩な濃淡があるため、集団の意見をまとめ、デジタル追跡統一モデルの合意を得るのは至難のわざだ。こうしたもろもろの疑問やそれがもたらす不安は、経済活動を再開してすぐに社員の健康状態を監視する企業が現れたことでさらに強まった。こうした企業は、このパンデミックが長引いたり、また新たなパンデミックが起きるという恐怖が表面化してきたりすればもっと増えるだろう。

コロナ危機が沈静化し、人々が職場に戻り始めたら、企業は従業員に対する監視をより強化する方向に軸足を移すだろう。その是非はさておき、企業は従業員の行動を見張り、場合によっては記録するようになる。その流れはさまざまな形を取るだろう。熱感知カメラで体温を測ったり、従業員がソーシャルディスタンシングを守っているかをアプリでモニターしたりする。規制やプライバシーにかかわる深刻な問題が起こりやすくなるが、多くの企業はこう主張してそういった異議を斥けるだろう。デジタル監視を徹底させなければ、新規感染のリスクなしビジネス再開し、会社を運営することはできない（場合によっては、責任を取ることもできない）。健康や安全を盾にとり、監視強化を正当化するだろう。

政策立案者や学者、労働組合が何度も蒸し返す懸念がある。危機が終わり、ワクチンが開発されても、おそらく監視ツールは置かれたままになるだろう。なぜなら、会社側にとって、いったん設置した監視システムを撤去するメリットは何もないからだ。まして、監視の副次的な効果として、従業員の生産性をチェックすることができるなら、なおさら撤去はしない。

２００１年９月11日のテロ攻撃後、監視カメラが随所に設置され、電子ＩＤカードが必要になり、従業員や来訪者の入退出の記録を取るという新しいセキュリティ対策が世界中で常識になった。その当時、こうした対策はやりすぎだと見られていたが、今日ではそれがどこでも行われ、「常態（ノーマル）」と考えられている。多くのアナリストや政策立案者、セキュリティ専門家が、パンデミック封じ込めのために投入される技術でこれと同じことが起きるのではないかと懸念を強めている。彼らが見ているのは、「ディストピア的」な世界だ。

1.6.3 ディストピアのリスク

今や情報とコミュニケーションのテクノロジーは生活や社会活動のほぼすべての場面に溶けこんでいる。この状況においては、デジタル体験はどれも、人々の行動を監視し、予測するための「製品」に変わり得る。未来がディストピア（ユートピアと正反対の社会）になるというリスクは、この発想から生まれた。そこから、芸術作品が生まれるようになって久しい。カナダ人作家、マーガレット・アトウッドの『侍女の物語』（早川書房、2001年）や、一話完結のSFテレビドラマ『ブラック・ミラー』など、数多くの作品が発表されている。学問の世界では、ハーバード・ビジネス・スクール名誉教授のショシャナ・ズボフのような学者の研究がある。ズボフの著書『監視資本主義の時代』は、こう警告した。顧客がデータソースとして再定義された「監視資本主義」は、極めて反民主主義的な形で、知識と、知識を得るための力の非対称性を生み出し、今日の政治、経済、社会、そして人々の生活を変容させている。

向こう数カ月から数年は、公衆衛生上の利益とプライバシーの侵害のどちらを取るかが慎重に検討され、多くの場所で話題になり、熱のこもった議論が交わされるだろう。新型コロナウイルス感染症のリスクを恐れる大半の人はこう言い張る。テクノロジーの力を借りないなんて、あり得ない。今まさに感染症が蔓延して自分が犠牲になり、生きるか死ぬかという状況にいるのに。この人たちはやがてプライバシーの多くを進んで手放し、この状況なら個人の権利より国家権力が優先されて構わないと考える。やがて危機が終わると、一部の人は気づくかもしれない。祖国が突如として、逃げ出したくなくなるような場所に変わり果てたことに。こういった人々の気持ちの変化は、別に目新しくはない。数年前から、政府も企業も徐々に最先端のテクノロジーを取り入れ、国民や従業員を監視し、ときには操作してきた。油断は禁物、と、プライバシー尊重派は警告する。うかうかしていたら、パンデミックが監視の歴史の分水嶺になる。[*127] 個人の自由を脅かすテクノロジーを何よりも恐れていた人々のこの議論は、実に分かりやすい。公衆衛生という名目の下では、個人のプライバシーの一部を犠牲にしてでも疫病の拡大防止が優先される。これはちょうど9・11米同時多発テロを機に、公共の安全という名目で監視網が広がり、元には戻らなくなったのと同じだ。そのうち人々はいつの間にか、あらたな監視権力の犠牲者になる。しかもこの権力は決して後退することなく、もっと悪意ある目的の政治的手段として利用されるのだ。

ここまで述べたように、今回のパンデミックは積極的に健康状態が監視される時代の幕を開くだろう。それを可能にするのは、位置情報検出機能のあるスマートフォンや、顔認証カメラなど、ほぼリアルタイムに感染源を特定し、感染拡大経路を追跡できる数々のテクノロジーだ。

こうした警戒すべき点を十分に承知した上で、テクノロジーの威力を制御し、監視を制限しようとする国もある（それ以外の国はさほど心配していない）。オピニオンリーダーの中には、いま性急に決めたことの中で、今後、何年にもわたって現代社会に影響を及ぼすものがあると懸念する人もいる。世界的ベストセラーになった『サピエンス全史 文明の構造と人類の幸福』（河出書房新社、２０１６年）などの著者、ユヴァル・ノア・ハラリも同意見だ。ハラリは最新の記事で、私たちはやがて全体主義的監視と国民への権限委譲のどちらを取るか、究極の選択を迫られると主張する。その貴重な意見を詳しく紹介する。

監視技術の進化のスピードはすさまじく、10年前はＳＦの世界の出来事に思えたことが、今ではもう古い情報になっている。想像してみてほしい。仮に、全国民に生体認証機能付リストバンド着用を義務づける政府があり、国民の体温と心拍数を24時間監視しているとしよう。その結果はすべて蓄積され、政府のアルゴリズムで分析される。その結果から、本人が自覚していないのに病気であることが分かり、さらにどこにいて誰と会ったかまで政府は把握できる。感染の連鎖は劇的に短くなり、完全に断ち切られることもあるかもしれない。このような国家は、ほんの数日で疫病の感染経路を間違いなく止められる。素晴らしいとしか思えないだろう?

その弊害も、もちろんある。人々を恐れさせる新しい監視システムも正当化されてしまうのだ。たとえば、私はＣＮＮのリンクよりもＦＯＸニュースのリンクをクリックすることが多い。その事実から、私の政治的立場や、あるいはもしかしたら人格について何らかの情報が分かる。ところがもし、動画を見ているときの私の体温や、血圧、心拍数までモニターできたなら、私が何に笑い、あるいは泣き、何に対して心から憤るのかも分かってしまう。ここでぜひ覚えておきたいのが、怒りや喜び、物事の好き嫌いは熱や咳のような生物学的現象であることだ。咳を特定できるテクノロジーは、笑いも特定できる。企業や政府が国民の生体情報を大量に収集し始めたら、本人が自覚するよりもはるかに、国民に関する情報を把握するようになり、感情の予測のみならず操作までして、商品であろうと、政治家であろうと、手当たり次第に好きなものを売りこんでくるだろう。生体情報を使った監視に比べたら、当時の選挙コンサルティング企業ケンブリッジ・アナリティカがやったデータハッキングの手口など子どもだましだ。

２０３０年の北朝鮮を想像してみてほしい。そこでは、全国民が24時間、生体認証機能付リストバンドの着用を強制されている。「偉大なる指導者」のスピーチを聴いたとたん、リストバンドがまごうことなき怒りのシグナルを探知したら、それこそ一巻の終わりだ。[128]

将来は、誰もが警告を受けるようになるだろう。ジャーナリストで作家のエフゲニー・モロゾフはもっと悲観的だ。パンデミックによって、「技術主導の全体主義国家による監視」というダークな未来の幕が切って落とされたと言い切る。「技術的ソリューショニズム（どんなことでも技術的に解決することができるとする考え方）」という概念を前提にした彼の考えは2012年の著作に記されている。その中で、パンデミック抑制のための技術的「ソリューション」は必ず監視状態を次のステージに引き上げるとした。その証拠に、パンデミックへの政府対応には二つの特徴的な「ソリューショニズム」の流れがあるとモロゾフは指摘している。かたや、「急進的なソリューショニスト」がいる。この人たちは、感染に関する正しい情報がアプリを通じて適切に得られれば、人々は公共の利益に沿って行動するようになると信じている。対して、「懲罰的なソリューショニスト」もいて、膨大なスケールのデジタル監視インフラを使って人々の日々の活動を制限し、逸脱行為をつぶさに罰しようとする。モロゾフが今の政治システムおよび自由への最大かつ究極の脅威と見るのは、パンデミックの監視と抑制に「成功した」と称するテクノロジーだ。これがやがて「社会の不平等から気候変動に至るまで、他のありとあらゆる存在する問題を解決する初期設定のオプションとして、ソリューショニストの基本的な道具になるだろう。いってしまえば、ソリューショニストの技術を展開して個人の行動を支配した方が、こうした危機の根本原因についてややこしい政治にまつわる疑問を投げかけるよりもはるかに楽だからだ[*129]」

＊＊＊＊＊

17世紀の哲学者で、生涯を通じて圧政的な権威に反発したスピノザの有名な言葉がある。「希望のない恐怖はないし、恐怖のない希望もない」。これは、本項の締めくくりにふさわしい指針になる。ここに、不可避であることなど何もないし、良い結果も悪い結果もバランスよく考えるべきだという言葉も添えたい。ディストピア的シナリオだからといって、破滅ではない。確かに、パンデミック後の時代には個人の健康と幸福がこれまで以上に社会で重視されるだろうから、「テクノロジーによる監視」という魔法使いを元の壺の中に戻すことはないだろう。しかし、個人、それに国家全体の価値や自由を犠牲にすることなく、テクノロジーの恩恵を管理し、存分に活かせるかどうかは、国家、そして国民の一人一人の心がけによる。

2. MICRO RESET(INDUSTRY AND BUSINESS)

ミクロリセット（産業と企業）

産業と企業というミクロのレベルのグレート・リセットは、長くて複雑な変化と適応が続くものだ。それに直面したとき、産業界のリーダーたちの中には、リセットではなくリスタートと考えたい人もいるかもしれない。オールドノーマルに戻り、かつてうまく機能していたものが復活することを望むからだ。慣例、定評のある手続き、慣れ親しんだやり方、言い換えるといつも通りのビジネスに戻るのである。しかし、起こり得ないものは起こらない。「いつも通りのビジネス」は、ほとんどがCOVID－19（新型コロナウイルス感染症）で死んだか、少なくともこのウイルスに感染してしまった。一部の産業は、ロックダウンとソーシャルディスタンシングで経済活動が冬眠したために、壊滅的な打撃を受けた。それを免れた産業も、世界経済が不況に陥る中で収益を確保する道はかつてなく狭く、回復に苦労することになる。しかし、ポストコロナの未来に踏み出す大多数の企業にとって、最も重要なことは、これまで機能していたことと、ニューノーマルの時代に繁栄するために今必要となるものの間で、適切なバランスを見つけることである。これらの企業にとってこのパンデミックは、自社の組織を見直し、前向きで持続可能な変革を長期にわたって継続する、類を見ないチャンスなのだ。

ポストコロナの企業にとってニューノーマルを定義するものは何か？　企業はどうすれば、過去の成功とパンデミック後の時代で成功するために今必要とされる基盤との間のバランスをベストな状態で保てるのか？　その対応は明らかに、それぞれの業界が抱える固有の課題やこのパンデミックで受けた被害の深刻さによって変わる。ポストコロナの時代は、強い追い風（顕著なのはハイテクや健康、ウェルネスの分野だ）を受けて利益を得る少数の企業以外は、困難で時には危険な道となる。エンターテインメントや旅行、接客サービスなどの分野は、少なくとも予想できる将来にパンデミック前の事業環境に戻ることなど想像できない（企業によっては、もう二度と取り戻せないかもしれない）。他の分野、すなわち製造業や食品などでパンデミック後の時代で成功するためには、ショックに順応した（デジタルのような）新しいトレンドを活用する方法を見つけることが重要になる。企業規模によっても変わってくる。大企業に比べて手元資金が少なく利益率も低い中小企業にとっては、成功のハードルがより高くなる傾向がある。この先、ほとんどの中小企業は、大手に比べて低い採算性の問題を解決しなければならない。しかし今日の世界では、企業規模が小さいことが利点になることもある。適応という観点から見れば、柔軟性と迅速性が決定的な違いを生み出すことがあるからだ。素早く動くのは、産業界の巨人よりも小さな組織の方が得意だ。

要するに、どの産業に属しているかとか、どのような特殊な事情があるかに関係なく、世界中のほぼすべての企業の経営者は、同じような課題に直面し、いくつか共通の問題点に対する答えを出さなくてはならないということだ。その中でも最も明らかな課題としては次のものがある。

- 在宅勤務が可能な従業員（アメリカの総労働人口の約30％）にリモートワークを奨励すべきか？

●航空機を利用する出張を減らすべきか？　オンライン会議でどれくらい対面式の会議を置き換えることができるか？

●どのようにすれば、会社と意思決定プロセスを変革し、より迅速にすることができるか、また素早くかつ決定的に動けるようになるか？

●デジタル化とデジタルソリューションの採用を加速するにはどうすればよいか？

第一章で述べたマクロリセットは、産業や企業のレベルで無数のミクロな結果を必然的にもたらすことになる。このパンデミックの「勝者と敗者」が誰で、その特定の産業への影響の問題が何かに目を向ける前に、これらの主な傾向のいくつかについて考察する。

2.1 ミクロトレンド

パンデミック後の時代はまだ始まったばかりだが、強力で新しい、加速するトレンドがすでに動き始めている。このトレンドで恩恵を受ける産業もあれば、大きな課題を突きつけられる産業もある。とはいえ、迅速に決断力をもって順応し、この新しいトレンドを最大限に活用できるかどうかは、どの産業かはあまり関係なく、それぞれの企業次第だ。最も機敏かつ柔軟に対応できた企業が、より強い存在として浮上することになる。

2.1.1 デジタル化の加速

パンデミック前、「デジタルトランスフォーメーション（DX）」という言葉が、ほぼすべての取締役会や幹部会議で呪文のように唱えられていた。デジタルは「鍵」で、「断固として」実行されなければならないものであり、「成功の前提」とみられていた。それからわずか数カ月の間に、この呪文は必須のものとなり、存亡を左右すると考える企業も現れている。このような状況は、説明もつくし理解できることだ。ロックダウンの間、私たちは仕事や教育から社会的交流まで、ほぼすべてを完全にインターネットに依存していた。私たちがほぼ普段どおりの生活を保つことができたのはオンラインサービスのおかげだ。ということは「オンライン」がパンデミックから最大の利益を受けたのは当然のことだ。ブロードバンドインターネット、モバイル決済、リモート決済、電子政府サービスなど、リモートで物事を行うことを可能にする技術やプロセスは強力な後押しを得た。その結果、すでにオンラインで事業を行っていた企業は、競争上の優位性によって、長期にわたり恩恵を受けることになる。またモバイル機器やコンピューターを通じてますます多様なモノやサービスが利用できるようになり、eコマースや非接触操作、デジタルコンテンツ、ロボット、ドローンによる配達など、例を少し挙げるだけでもいろいろな分野の企業が利益を受ける。アリババ、アマゾン、ネットフリックス、ズームのような企業が、ロックダウンから「勝ち組」として浮上してきたのは偶然ではない。

概して、消費者部門が最初にそして最も速く動いた。ロックダウン中、多くの食品および小売企業に課せられた接触を避ける経験や、製造業の仮想ショールームで顧客が商品を閲覧し好きなものを選択できるという経験から、ほとんどのB2C企業は、顧客に「最初から最後まで」デジタルで対応する必要性を急速に理解したのである。

一部でロックダウンが解除され、経済が少しずつ復活するにつれ、B2Bでも同じようなチャンスが出てきた。とりわけ組み立てラインなどの厳しい環境でフィジカルディスタンシングのルールを短期間のうちに導入しなければならなかった製造業では、IoTの活用範囲が目覚ましく広がった。ロックダウン前まではIoTの採用が遅れていた企業でも、できるかぎりリモートで行うという具体的な目的を持って、一斉にIoTを導入するところが出てきている。機械装置のメンテナンスや在庫管理、サプライ管理、安全対策など、さまざまな活動がコンピューターで（かなりの程度まで）できるようになっている。企業にとってIoTは、ソーシャルディスタンシングのルールを実行し維持する手段というだけでなく、コストを削減し、よりスピーディーな運営を実現する手段でもある。

このパンデミックがピークを迎えていた時、オンラインとオフライン両方を備えることの重要性が注目され、ドア（水門と言った方がいいかもしれない）が開いて内と外が入れ替わり、O2O（オンラインからオフラインへ）がビジネスを牽引する大きな力を得た。絶え間なく外に向かって開いているサイバースペースで「私たちの世界は内と外が入れ替わり続けている」[*130]と著名なSF作家ウィリアム・ギブスンが指摘したように、オンラインとオフラインの区別を曖昧にするこの現象がコロナ危機以後の時代の最有力トレンドの一つとして浮上している。コロナ危機の下では、教育やコンサルティング、出版など、多くの経済活動をデジタルで行わざるを得ず、デジタルで「無重力」の世界に向かうことが、かつてない勢いで強いられたり、推奨されたりして、この反転現象が加速することになった。もうしばらくしたら、テレポーテーションがトランスポーテーションに取って代わったと言えるようになるかもしれない。ほとんどの執行委員会や取締役会、チームミーティング、ブレーンストーミング会議やさまざまな形の個人的あるいは社会的な交流は、リモートでやらねばならなくなった。ビデオ会議サービス企業のズームの時価総額が2020年6月に700億ドルに急上昇し、その時点でアメリカのどの航空会社よりも高くなったことが、この現実を如実に示している。同時に、アマゾンやアリババのような大手ネット企業は、とくに食品小売業や物流においてO2O事業を確実に拡大した。

ロックダウン中に広く拡大した遠隔医療やリモートワークのようなトレンドが後退する可能性は低く、パンデミック前の状態に戻ることはまずない。とくに遠隔医療は大きな利益をもたらすだろう。理由ははっきりしている。医療は世界で最も厳しく規制されている産業の一つであり、そのため必然的にイノベーションのペースが遅くなる。しかし、利用可能なあらゆる手段でパンデミックに対処しなければならないこと（加えて、感染流行時にリモートで働くことを可能にして医療従事者を保護する必要性）が、遠隔医療に関連する規制と法律の一部の障壁を取り除いた。今後、より多くの医療がリモートで提供されることは確実だ。それに伴って、健康データを採取して健康分析を行うことができるスマートトイレなど、よりウェアラブルな医療用デバイスや在宅診療システムの開発が新しいトレンドとして加速することになる。同時に、このパンデミックがオンライン教育にとっても恩恵となる可能性がある。アジアではオンライン教育への移行がとくに顕著で、学生のデジタル履修登録が急増してオンライン教育ビジネスの価値が大幅に高くなり、「エドテック（Edtech）」のスタートアップ企業への投資熱が高まっている。反面、より伝統的な教育を提供している機関に対する圧力が高まり、その価値や授業料も検証されることになるだろう（この点については後でさらに詳しく述べる）。

拡大のスピードは息をのむほど早い。「2019年、イギリスではビデオによる初診は1％未満だった。それがロックダウン下ではリモートで対応した割合が100％になった。別の例もある。2019年にカーブサイドデリバリー事業を立ち上げたいと考えていたアメリカの大手小売業者は、その実現には18カ月かかると想定していた。しかし、ロックダウン中に1週間足らずで本格稼働を開始し、従業員の雇用を維持しながら顧客にこの新しいサービスを提供できるようになった。オンラインバンキングでの取引は、コロナ禍の間に10％から90％に上昇し、サービスの品質を維持したままコンプライアンスが改善し、単なるオンラインバンキングにとどまらない、より充実した顧客サービスを提供している[*131]」。同じような例はたくさんある。

このパンデミックの影響を緩和しようとする社会とロックダウン中に課せられたフィジカルディスタンシングが相まって、ｅコマースが見たこともないほど強力なビジネストレンドとして浮上してくるだろう。商品を手に入れたくても買い物に行けない消費者は、必然的にオンラインでの購入に頼ることになる。こうなると、オンラインで買い物をしたことがなかった人でも気軽にそうするようになり、時々オンラインで買い物をしていた人は以前より頻度が増えるだろう。ロックダウン中、この傾向は明らかだった。アマゾンとウォルマートは、アメリカで、需要増に対応するために両社で25万人の労働者を雇い、オンラインで配達するための大規模なインフラを建設した。ｅコマースが加速していることで、オンライン小売業界を牽引する巨大企業は、パンデミック以前よりもさらに強力になって危機から抜け出す公算が高い。ただ何事にも表があれば裏があるように、オンラインショッピングの習慣が広く定着するにつれて、繁華街の小売店やショッピングモールの小売業はさらに落ち込むことになる。これについては、この後、より詳しく述べる。

2.1.2 レジリエンスの高いサプライチェーン

グローバルサプライチェーンの特質や脆弱性から、サプライチェーンを短くしようという議論が何年も続いてきた。サプライチェーンは、入り組んで管理が複雑になりがちだ。環境基準や労働法を順守する上でもなかなか目が行き届かず、企業は評判を落としてブランドを傷つけてしまう可能性がある。これらの問題に悩まされてきたが、このパンデミックが終止符を打った。個々の部品のコストを重視し、重要な原材料は一つのサプライヤーにしてサプライチェーンを最適化すべきであるという考え方、簡単に言えば、レジリエンス（回復力）よりも効率を優先するという原則にとどめを刺したのである。パンデミック後の時代には、コストと合わせてレジリエンスと効率性の両方を含んだ「エンド・ツー・エンドでのバリュー最適化」の考えが大勢を占めることになるだろう。「ジャスト・イン・ケース（万一に備えて）」がゆくゆくは「ジャスト・イン・タイム」に取って代わるということだ。

マクロリセットの章で見たように、グローバルサプライチェーンへの衝撃は、グローバル企業にも中小企業にも同じように影響を与える。しかし具体的に「ジャスト・イン・ケース（万一に備えて）」とは何を意味するのだろうか？　20世紀末にはグローバリゼーションというモデルが発達した。それは安い労働力や製品、部品を求める世界規模のメーカーが考えて構築したものだが、今やその限界が明らかになっている。グローバリゼーションによって生産は国をまたいで今までになく複雑に細分化され、ジャスト・イン・タイムで運用されたことで在庫が絞られ効率的になった。しかし同時に極めて複雑化し、脆弱になった（複雑さはもろさにつながり、不安定になることも多い）。したがって、単純化こそがその解決策であり、より高いレジリエンスを生みだせるはずだ。

単純化するということは必然的に、国際貿易全体のほぼ4分の3を占める「グローバルバリューチェーン」が衰退することを意味する。複雑なジャスト・イン・タイムのサプライチェーンに依存している企業は、世界貿易機関（WTO）の関税システムが、ある日いきなり台頭する保護主義から自分たちを守ってくれると考えることがもうできない。この新しい現実と、グローバルバリューチェーンの衰退が融合する。その結果、企業はサプライチェーンを短縮またはローカライズして、代替生産や調達計画を策定して長期にわたる混乱から身を守ることを余儀なくされるだろう。ジャスト・イン・タイムのグローバルサプライチェーンで収益を確保してきたすべての企業が、運用を考え直さなければならなくなる。おそらくは効率と利益の最大化を犠牲にしてでも、「安全な供給」とレジリエンスを取ることになるだろう。レジリエンスはしたがって混乱回避に真剣に取り組む企業にとって第一に検討しなければならない事項だ。供給網、通商政策、よその国や地域で混乱はいつも発生しうるからだ。具体的には、コストをかけて在庫を抱え、予備の設備を作ることを迫られる。また、自社内のサプライチェーンも同様に再検討しなければならないだろう。サプライチェーン全体で、最終的なサプライヤーまで、そしてそのサプライヤーのサプライヤーまで含めた全サプライヤーを追跡してそのレジリエンスを評価することになる。必然的に生産コストは上昇するが、それはレジリエンスを構築するために必要なコストだ。最も影響を受ける産業はすぐに分かる。生産パターンを最初にシフトしなければならなくなる自動車、エレクトロニクス、産業機械である。

2.1.3 政府と企業

第一章で述べたような理由によって、公共と民間とのゲームのルールの多くが、パンデミックによって書き換えられてしまった。このパンデミックが終わると、企業は政府から以前よりもはるかに大きな干渉を受けることになる。企業の在り方と事業に対する政府の優しい（あるいは逆の）介入は、国や業界によって異なり、見え方も違うだろう。ここでは、パンデミック後の早い時期に強制力を持って現れてくる注目すべき形態について概説する。条件付き救済、政府調達、そして労働市場の規制の三つだ。

はじめに、疲弊した産業や個別の企業を支援するために西側諸国で採用されるすべての景気刺激策には、公的資金の借り手に制約を課す契約条項が含められるだろう。従業員の解雇、自社株の買い戻し、役員賞与の支払いに制限がつけられるのである。同じように、（活動家や世論に促され、支持され、時には「強いられた」）政府は、不自然に安い法人税やあまりにも高い役員報酬を何とかしようとする。株の買い戻しに資金を費やし、できるだけ納税額を抑え、巨額の配当を支払うよう企業に要求する経営幹部や投資家には厳しい姿勢で臨むだろう。近年ずっと巨額の配当を払い続けてきたアメリカの航空会社は、政府の支援を求めたことでやり玉に挙がり、世論の変化を受けた政府の格好の標的になるだろう。さらに、今後数カ月から数年の間、政府が民間企業のデフォルトリスクのかなりの部分を肩代わりする「体制転換」が起こる可能性もある。そうなると、政府は見返りを求めることになる。ルフトハンザドイツ航空の救済はこの典型だ。ドイツ政府はこのフラッグキャリアに資金を供給したが、その条件として、ストックオプションを含む役員報酬を制限すること、配当金を支払わないことを約束させた。

政府の干渉が増えるため、公共政策と企業の事業計画をうまく整合させることがとくに注目を集める。コロナ禍のピーク時に、人工呼吸器が緊急調達されたことがその理由をよく示している。2010年、アメリカでは政府が4万台の人工呼吸器を発注したが、結局、納入されなかった。2020年3月に人工呼吸器不足が明らかになったが、これが主な原因であるとされる。なぜこのような状況になったのだろうか？　もともと人工呼吸器を落札した会社は2012年、ずっと大きなメーカー（人工呼吸器も生産している上場企業）によって（なんとなく怪しい状況で）買収された。買収した会社は自分たちの採算が損なわれることを恐れて、安く落札した人工呼吸器の生産を先延ばししたことが後に明らかになった。同社は重い腰をなかなか上げず、最終的には別のライバル会社に買収されてしまい、結局、契約はキャンセルされた。4万台の人工呼吸器は1台も政府に納入されなかった。[*132] このようなことがパンデミック後の時代に再発する可能性は低いだろう。公的機関は、重大な公衆衛生上の影響（あるいはセキュリティなど他の重要な公共への影響）があるプロジェクトについて、民間企業にアウトソーシングすることを躊躇するようになるからだ。要するに、利益を最大にすることや近視眼的な経営が、将来の危機に備えるという公共の目標と一致することはめったにないということだ。

世界中で、低賃金の従業員の社会保障と、給与水準を改善しようとする圧力が高まってくる。最も可能性が高いのは、パンデミック後の世界では最低賃金の引き上げが中心的な課題となることだ。最低基準の規制が強化され、既存の規則がより徹底的に強化されることだろう。企業が納める税金は増え、政府の基金（公的介護サービスなど）をさまざまな形で拠出する必要が出てくるだろう。ギグエコノミーは、他のどの分野よりもこうした政策の影響を感じることになる。コロナ禍の前から、ギグエコノミーはすでに政府が精査する対象となっていた。パンデミック後の時代には、社会契約を再定義するためにも、こうした精査が集中的に行われるだろう。ギグワーカーに依存して経営している企業も、財務的に圧迫されるほど政府の干渉が強くなっていくのを実感するようになる。コロナ禍によってギグワーカーに対する社会的、政治的姿勢が大幅に変わるため、彼らを雇用する企業は社会保険や健康保険などの福利厚生を整備した適切な契約をするように政府から強いられることになる。労働問題が大きくのしかかり、ギグワーカーを正社員として雇用しなければならなくなったら、企業は利益を得られなくなる。そうした企業の存在意義すらなくなってしまうかもしれない。

2.1.4 ステークホルダー資本主義とＥＳＧ

第一章ではマクロリセットの五つのカテゴリーについて述べた。そのカテゴリーのそれぞれに過去10年ほどの間に起こった根本的な変化が、企業を取り巻く環境を大きく変えてしまった。この変化によって、持続可能な価値を創造するには、ステークホルダー資本主義と環境・社会・ガバナンス（ＥＳＧ）に配慮することがますます重要になった（ＥＳＧは、ステークホルダー資本主義のものさしと考えることもできる）。

この相互に依存し合う世界で、気候変動に対する活動や不平等の拡大、ジェンダーの多様性、#MeToo スキャンダルといった多くの問題がうまれ、ステークホルダー資本主義とＥＳＧ投資が重要であるという意識が高まりつつあった。パンデミックに襲われたのは、そんなときだった。企業の基本的な目標は単に利益を追求するだけではない。公然と表明するかどうかは別にして、この考え方を否定する人はいないだろう。株主だけではなく従業員や顧客、社会といったすべてのステークホルダーのために事業を行うことが現代の企業の責任となっている。このことは、パンデミック後にはＥＳＧがより前向きにとらえられるようになるという証拠によって裏付けられる。これは次の三つの側面から説明できる。

1. この危機は、ESG戦略に関する多くの課題に対する深刻な責任感と緊急性を生み、強めることになる。中でも最も重要なのは気候変動である。しかし、その他の課題、たとえば消費者の行動、仕事と移動の未来、そしてサプライチェーンの責任などは、投資行動で最初に評価される項目になり、デューデリジェンスに欠かせない要素となっていく。

2. パンデミックは、経営陣にも明らかな教訓を残した。ESGに配慮しなければ事業の大きな価値が破壊され、企業の存続を脅かすことにつながるということだ。したがってESGは、今後、企業の中核戦略とガバナンスに完全に統合された形で取り込まれていくだろう。また、これによって投資家が企業のガバナンスを評価する方法も変わる。税務記録や配当金支払い、役員の報酬がますます厳しく精査されることになる。何らかの問題が発生したり、公になったりしたときに評判が傷つくことを恐れるからだ。

3. 従業員と地域社会の親善を育むことが、ブランドの評判を高める鍵となる。すすんで職場環境を改善し、従業員の健康と安全だけでなく職場での幸せに注意を払い、従業員を大切にしていると示すことがますます必要になる。企業が純粋に「善良」だからそうするのではなく、そうしないと、活動家（物言う投資家と社会活動家）の怒りを招いて、代償があまりにも高くなりかねないからだ。

このパンデミックのおかげでESG対応が進んできた。今後さまざまな調査や報告書が出ればさらにESGが進むだろう。2020年第1四半期のデータによると、サステナビリティ部門が従来型のファンドの運用実績を上回っている。アメリカの投資信託格付会社モーニングスターによると、200以上のサステナビリティ・エクイティ・ファンドと上場投資信託（ETF）の第1四半期のリターンを比較したところ、サステナビリティ・エクイティ・ファンドの方が1～2ポイント高かった。ブラックロックのレポートには、ESG評価の高い企業が、このパンデミックの間に同業他社を上回るパフォーマンスであったということが報告されている。[*133] 複数のアナリストによると、このパフォーマンスが得られたのは、単にESGファンドが戦略的に化石燃料に手を出さなかったことを反映しているだけかもしれないという。しかしブラックロックは、ESGに準拠している企業（言い換えればステークホルダー資本主義の原則を順守する企業）は、リスク管理に対する総合的な理解があり、よりレジリエンスが高い傾向があるとしている。世界がさまざまなマクロリスクや問題の影響を受けやすくなるほど、ステークホルダー資本主義やESG戦略を受け入れる必要性が高まるようだ。

復興のためにはステークホルダー資本主義を犠牲にしなければならないと信じる人々と、今こそ「より良い復興」（build back better）をするときだと主張する人々との論争は、とても解決しそうにない。アイルランドの格安航空会社ライアンエアーの最高経営責任者（CEO）、マイケル・オレアリーのように、コロナ危機でESG対応が「数年間後回しになる」と考えている人に対して、会社を「ステークホルダー・カンパニー」にすると約束するエアビーアンドビーのCEO、ブライアン・チェスキーのような人もいる。[*134] しかし、ステークホルダー資本主義やESG戦略のメリット、その将来の役割をどんなに無視しようとも、パンデミック後には活動家たちがこのトレンドを強化し、状況を変えていくだろう。社会活動家や多くの物言う投資家は、コロナ禍の下で企業がどのように振る舞ったかを綿密に精査するはずだ。市場または消費者、あるいはその双方が、社会問題についてパフォーマンスの悪かった企業に罰を与えることになりそうだ。2020年4月、アメリカ株式会社で影響力ある裁判官、レオ・ストラインは共同執筆したエッセイで、企業のガバナンスを変えなければならないとしてこう書いた。「企業のガバナンスが、財務の健全性や持続可能な富の創造、労働者の公正な処遇をないがしろにしてきたことで、われわれはまたその代償を支払っている。あまりに長い間、経済の上に乗った株式市場は、他のステークホルダー、とくに労働者を犠牲にして成長してきた。全体として富は増えたとはいえ、富を生み出した立役者である労働者の大部分に対しては不公正な歪んだやり方だった。飽くことを知らない株式市場の欲求を満たそうとし、企業の債務や経済リスクを高めてきたのだ」。[*135]

活動家にとっては、コロナ禍の下で企業が示した（または示さなかった）良識が最も重要になる。企業はこの先何年も、狭い商業的な意味だけでなく、より広い社会のレンズを通して、批判的に判断されることになる。たとえば、過去10年間にアメリカの航空会社は自社株買い戻しにキャッシュフローの96%を費やした。また、2020年3月、格安航空会社イージージェットが株主に1億7400万ポンドの配当を支払った（創業者への6000万ポンドを含む）。こうした事実を忘れる人はいないだろう。[*136]

今や企業が影響を受ける可能性のあるアクティビズム（行動主義）は、伝統的な社会的アクティビズム（第三者によるもの）と投資家アクティビズムの範囲を超え、従業員のアクティビズムという形で企業内に広がりつつある。2020年5月、パンデミックの中心地がアメリカから中南米に移っていく中で、グリーンピースが発表した報告書に触発されたグーグルの従業員らが、石油やガスの掘削のためのカスタムAIおよび機械学習アルゴリズムの構築をやめるよう会社を説得した。[*137]最近の事例では、環境問題から社会的公平、平等に対する懸念に至るまで従業員のアクティビズムが高まっていることが分かる。また、さまざまなタイプの活動家が持続可能な未来を作るという目標を達成するために協力することを学んでいる様子も浮かび上がってくるのだ。

これらと共に、最も古い形のアクティビズムである労働争議も急増している。とくにアメリカでは、ホワイトカラーのほとんどが在宅勤務でパンデミックを乗り切っていたが、「塹壕から出て」仕事に出かけざるを得ない低賃金のエッセンシャルワーカー（社会を動かす重要な仕事をする労働者）は、職場放棄やストライキ、デモを次々に行った。[*138] 労働者の安全と賃金、福利厚生が中心的な課題となるにつれ、ステークホルダー資本主義という命題が多くの人に関連し、その力を増すことになるのだ。

2.2 産業のリセット

このパンデミックでロックダウンが実行され、その影響はすぐ世界中のほぼすべての産業に広まった。これからも数年間は余波が続くだろう。グローバルサプライチェーンが再編され、消費者の需要が変化し、政府の介入が増え、市場を取り巻く条件が変わり、テクノロジーが従来の仕組みを壊していくにつれ、企業は絶えず変化に適応し自己変革を続けていかざるを得ない。本項では、個々の産業がどのように進化するか事細かく予想図を示すのではなく、むしろ印象派のタッチで、特定の産業がこのパンデミックで受ける影響の主な特徴やトレンドの輪郭を描くことにする。

2.2.1 社会的な相互作用と脱密集化

旅行・観光業、接客サービス業、エンターテインメント、小売業、航空宇宙産業、さらには自動車産業への影響

このパンデミックは、消費者同士の接触や、何をどのように消費するかという従来の考え方や行動様式に大きな影響を与えた。したがって、さまざまな産業で続いて起こるリセットは、経済活動の性質によって根本的に違ったものになる。このパンデミックが終息してから数カ月あるいは数年の間は、フィジカルディスタンシングを取ったり、仮想スペースに移行したりできる業界よりも、消費者の社会的あるいは個人間の接触を通じて取引をしなければならない業界の方が、流行が収まった後ですら厳しい影響が残るだろう。現代の経済では、私たちが消費するものの多くは社会的な接触を通じて手に入る。旅行や休暇、バーやレストラン、スポーツイベントや小売、映画館や劇場、コンサートやフェスティバル、コンベンションや会議、博物館や図書館、そして教育など、それらはすべて消費の社会的な形態だ。そしてこれらが、経済活動や雇用全体のかなりの部分を占める（たとえばアメリカではサービス業が全職業の約80％で、その大部分はもともと「社会的」なものだ）。こうしたサービスは、バーチャルにはできないか、できるとしても部分的で（スクリーンに映し出されたオーケストラの生演奏を鑑賞するように）、最適とは言えないことが多い。社会的

に接触をしなればならない業界は、ロックダウンによって最も大きな打撃を受けてきた。旅行や観光、レジャー、スポーツ、イベント、エンターテインメントなど、すべて足し合わせると経済活動と雇用全体に極めて大きな割合を占める。数カ月から数年の間は、こうした業界は、営業規模を縮小させられる他、ウイルスで消費者が来ないという恐れと、消費者同士の間に物理的に広い空間を作る規制という負担も背負いながら営業することを余儀なくされるだろう。ワクチンが開発されて大規模に商業化されるまで、フィジカルディスタンシングを徹底するよう、世間の圧力は続く（大半の専門家によると、ワクチンはどれだけ急いでも2021年の第1四半期か第2四半期まででききそうもない）。その間、人々は休暇であれビジネスであれ、旅行に出かけにくい状況が続く。レストランや映画館、劇場に行く頻度も減るだろう。また、店に行くよりもオンラインで購入する方が安全だと判断するかもしれない。こういった根本的な理由から、コロナ禍で最も大きな打撃を受ける業界は、回復も最も遅れることになる。とくにホテル、レストラン、航空会社、小売店、文化施設などでは、アフターコロナの新しい日常に適応するため、スペースの確保や定期的な清掃、スタッフの安全確保、そして顧客と従業員の接触を制限する技術などに高い費用をかけて、サービスを提供せざるを得なくなるだろう。

これらの業界の多く、中でも接客サービス業や小売業、中小企業はとくに、ロックダウンによる閉鎖や売り上げの急減によって、生き残るか倒産するかの厳しい綱渡りをせざるを得なくなる。客の人数を制限したり、利益を抑えて営業したりすれば、生き残れないところもたくさん出る。中小企業が倒産すれば、国家経済と地域社会の両方に深刻な影響がある。中小企業は雇用拡大の主たる原動力であり、ほとんどの先進国で民間部門の雇用の半分を占めている。それらの多くが立ち行かなくなり、地元のショップやレストラン、バーが少なくなると、失業率が上昇し、需要が枯渇して、悪循環が始まる。影響を受ける中小企業はさらに増え、やがてコミュニティ全体が打撃を受けることになる。小さな波がやがては地域社会の枠を超えて広がり、その影響は思うよりずっと遠い地域にまで及ぶ。高度に相互依存しながらつながり合う今日の経済、産業、企業の体質は、マクロカテゴリーを結びつけている力学にも匹敵する。つまり、それぞれが数えきれないほどさまざまな方法で、おたがいに大きな打撃を与え合うのだ。レストランを例に取ると、この分野では、どのようにして事業を復活させるかさえ分からないほどの激震に見舞われている。あるレストランのオーナーはその状況をこう語った。「この街の数百人ものシェフたち、アメリカ中の数千もの同業者たちと同じく、自分のレストランや、キャリア、生活を取り戻したとしても、それがいったいどのようなものになるかという不安や悩みがある」[*139]。フランスとイギリスのいくつかの業界では、ロックダウンとその後に実施されたソーシャルディスタンシングで、個人レストランのうち最大75%が生き残れないかもしれないとする声がある。大規模チェーン店とファーストフードの巨人は生き残るだろう。このことは、中小企業が縮小するか消滅する一方で、大企業はさらに大きくなることを示している。たとえば、大規模なレストランチェーンは資金など多くのリソースを持っており、小さな店が倒産することで結果的に競争が少なくなって経営を維持できる可能性が高くなる。小さなレストランは、危機を生き延びた後に自らを完全に作り変える必要があるだろう。その一方で、営業を完全にあきらめてしまうと、閉店による影響はレストランとそのスタッフだけでなく、サプライヤーや農家、トラック運転手といった関連するビジネスすべてに及ぶことになる。

企業規模で見たときのもう一つの側面は、非常に大きな企業でも、とても小さな企業と同じ苦境に陥る場合があることだ。とくに航空会社は、消費需要の落ち込みやソーシャルディスタンシングへの対応など、他の業界と同様の制約に直面する。3カ月のシャットダウンで、世界中の航空会社が実質的に売上ゼロかつ数万人の人員削減の見通しという激変する状況の最中にある。ブリティッシュ・エアウェイズでは、現在の従業員4万2000人の最大30%を削減すると発表している。執筆時点（2020年6月中旬）では、運航が再開されようとしているところだ。回復には何年もかかると予想され、非常に大きな困難がその先も待ち受けていることが明らかになるだろう。まずは観光客が増え、それから出張客が次第に増えてくる。しかし、次項で説明するように、一部の消費習慣の変化は元に戻らない可能性もある。多くの企業がコストを削減するために出張を減らし、対面式の会議を可能な限りリモート会議に切り替えることを決断するかもしれないからだ。こうした方針転換が、航空会社の回復や最終的には収益確保を大きく遅らせ、しかもその影響が長引く恐れがある。パンデミック以前は、出張が旅客の30％、売上では50％を占めていた（高額の座席と直前の予約のおかげである）。今後、こうした収益構造の変化により、収益が非常に不安定になる航空会社も出てくることが予想され、業界全体としても世界の航空市場の長期的な構造を考え直さざるを得なくなるだろう。

ある業界が受ける最終的な影響を評価する際、すべての因果関係を見つけるには隣接する業界の状態を見る必要がある。隣接する業界が受ける影響は、すぐ上の上流で起きること、または「頂上で」起きることに大きく依存している。このことを説明するため、航空業界に依存する空港（インフラと小売）、飛行機（航空宇宙）、レンタカー（自動車）の三つについて簡単に見てみよう。

空港は航空会社と同じ難題に直面している。飛行機の利用が減れば減るほど、空港を経由して移動する人も少なくなる。そうなれば、世界中の国際空港のエコシステムを構成するさまざまなショップやレストランでの消費に影響が出る。さらにポストコロナ時代に入ると、待ち時間が長くなり、手荷物制限が厳しくなり、手荷物も持ち込めなくなるかもしれない。ソーシャルディスタンシングで不便になれば、楽しくゆったりと飛行機で旅したいという消費者の欲求を損なう懸念もある。さまざまな業界団体が、ソーシャルディスタンシング対策を実施すると空港の収容力が20〜40％に制限されるだけでなく、不愉快な経験で利用を抑えてしまうかもしれないと警告している。

あまりにも劇的なロックダウンの影響を受けて、航空会社は新しい航空機の発注をキャンセルまたは延期したり、特定のモデルに変更したりするようになった。このことで、航空宇宙産業に強い衝撃が走っている。直接の結果として、また将来を見据えて、主な民間航空機の組立工場は生産量を落として操業している。その影響はバリューチェーンと供給企業のネットワーク全体に波及する。長期的には、航空会社はニーズを洗い直し、それによる需要の変化が民間航空機の生産の全面的な見直しにつながる。軍用機については例外であり、比較的影響を受けない。ただ国家としては、地政学的な見通しが不確実なので発注と調達を維持するより他はないが、資金不足に苦しむ政府はより有利な支払い条件を要求するだろう。

空港と同様、レンタカー会社もほぼ完全に飛行機の利用客に依存している。70万台の車両を保有し、多額な借り入れのあったハーツは、ロックダウン中にその70万台のほぼすべてが空車となって事業が回らなくなり、5月に破産申請した。非常に多くの企業がそうであったように、新型コロナウイルス感染症が最後のわら（荷物をたくさん背負わせたラクダに、最後にわらを1本乗せたら、限界を超えたという例え）になったのである。

2.2.2 行動変容——永続的か一過性か

小売業、不動産業、教育への影響

ロックダウン中に見られた行動の変化がパンデミック後に完全に元に戻る可能性は低く、恒久的になるものさえあるだろう。これがどのように展開するかは、まだ非常に不透明だ。一部の消費パターンは長期的な傾向線に戻る（9・11同時多発テロ後の空の旅と同じだ）かもしれないが、そのペースはやはり落ちる。その他は間違いなく、オンラインサービスのように加速するだろう。自動車の購入のように先延ばしされるものもあるだろうが、グリーンモビリティ（環境に優しい移動手段）関連の購入など、新しく継続する消費パターンが出現する可能性もある。

この点については、まだ分からないことがたくさんある。ロックダウンの間、多くの消費者は、自分でやること（パンを焼いたり、一から料理を作ったり、髪を切るなど）を余儀なくされ、慎重にお金を使おうと思うようになった。このような、DIY的な、あるいは自己消費という新しい習慣や形態は、パンデミック後にも果たして定着するだろうか。同じことが、どこかの国で高等教育のために法外な授業料を支払う学生にも言えるかもしれない。画面を見て一学期分の講義を聴き終えた後、彼らは教育費の高さについて疑問を投げかけないだろうか。

オンラインショッピングと対面での小売りの例に戻って、極端に複雑で不透明な消費者行動について考えてみる。先に述べたように、オンラインショッピングが好まれ、実店舗は完敗してしまう可能性が非常に高い。消費者は、ボトルや家庭用品のような重くてかさばる商品を届けてもらうために少し余分に支払うのは喜んで受け入れるだろう。したがって、スーパーマーケットの販売スペースは縮小し、比較的少量の特定の食料品を販売するコンビニエンスストアに似てくる。しかしこれは、レストランでお金を使わなくなるということでもあり、伝統的に外食の割合が多い都市（たとえばニューヨーク市は60％）では、住民が喜んでホームクッキングをするにつれ、消費者のお金は都市部のスーパーマーケットに流れる。エンターテインメント業界でも同じことが起こるかもしれない。コロナ禍で、囲まれた空間で見知らぬ人と隣り合わせで座ることへの不安が高まり、多くの人は自宅で最新の映画やオペラを見るのが最も賢い選択であると判断するかもしれない。このような判断は、地元のスーパーマーケットに利益をもたらし、バーやレストランに損害を与える（バーやレストランでは、オンラインで注文を受けて配達するサービスが頼みの綱になるかもしれない）。ロックダウン中、このような現象が世界中の多くの都市で起こった。これが、一部のレストランでポストコロナの新しいサバイバル計画の重要な要素になり得るのだろうか。第一波の影響の中には、これよりも簡単に予想できるものもあり、その一つが清潔さである。コロナ禍は確実に衛生への関心を高めることになった。清潔さに対する強迫観念が生まれ、とくに包装に新しい工夫が施されるようになるだろう。私たちは購入する製品には触れないことを奨励され、メロンの香りを嗅いだり果物を触ったりするようなちょっとした愉しみも、眉をひそめる行為としてできなくなるかもしれない。

一つ態度が変われば、さまざまな効果が生まれ、それぞれが特定の産業に特有の影響を与える。そして最終的には、効果が波及して多くのさまざまな産業が影響を受ける。次ページの図は、自宅で過ごす時間が長くなるという変化について説明している。

このパンデミックが始まって以来、将来的にリモートで仕事をするかどうか（またはどの程度行うか）、結果として自宅で多くの時間を過ごすかどうかについての白熱した議論が起こっている。一部のアナリストは、創造性豊かで活気に満ちた経済活動や社会生活の中心地として、（最大規模の）都市の基本的な魅力は失われないと主張する。一方で新型コロナウイルスが人々の態度を根本的に変えたと考えるアナリストもいる。新型コロナウイルス感染症が分岐点になったと主張する彼らの予測はこうだ。世界中で都市の環境汚染や狭くて高い住宅という問題に直面している都市住民は、世代に関わらず今後いずれかの時点で、緑豊かで広くて、汚染が少なく、比較的安い場所に引っ越すという。どちらが正しいか明らかになるにはまだ時間がかかるが、大都市（ニューヨーク、香港、ロンドン、シンガポールなど）では比較的少数の人が移り住むだけでも、いろいろな産業に大きな影響を与えることになるだろう（利幅がそれほど大きいわけではないからだ）。不動産業界、とくに商業用不動産の仲介業では、この現実が如実に現れている。

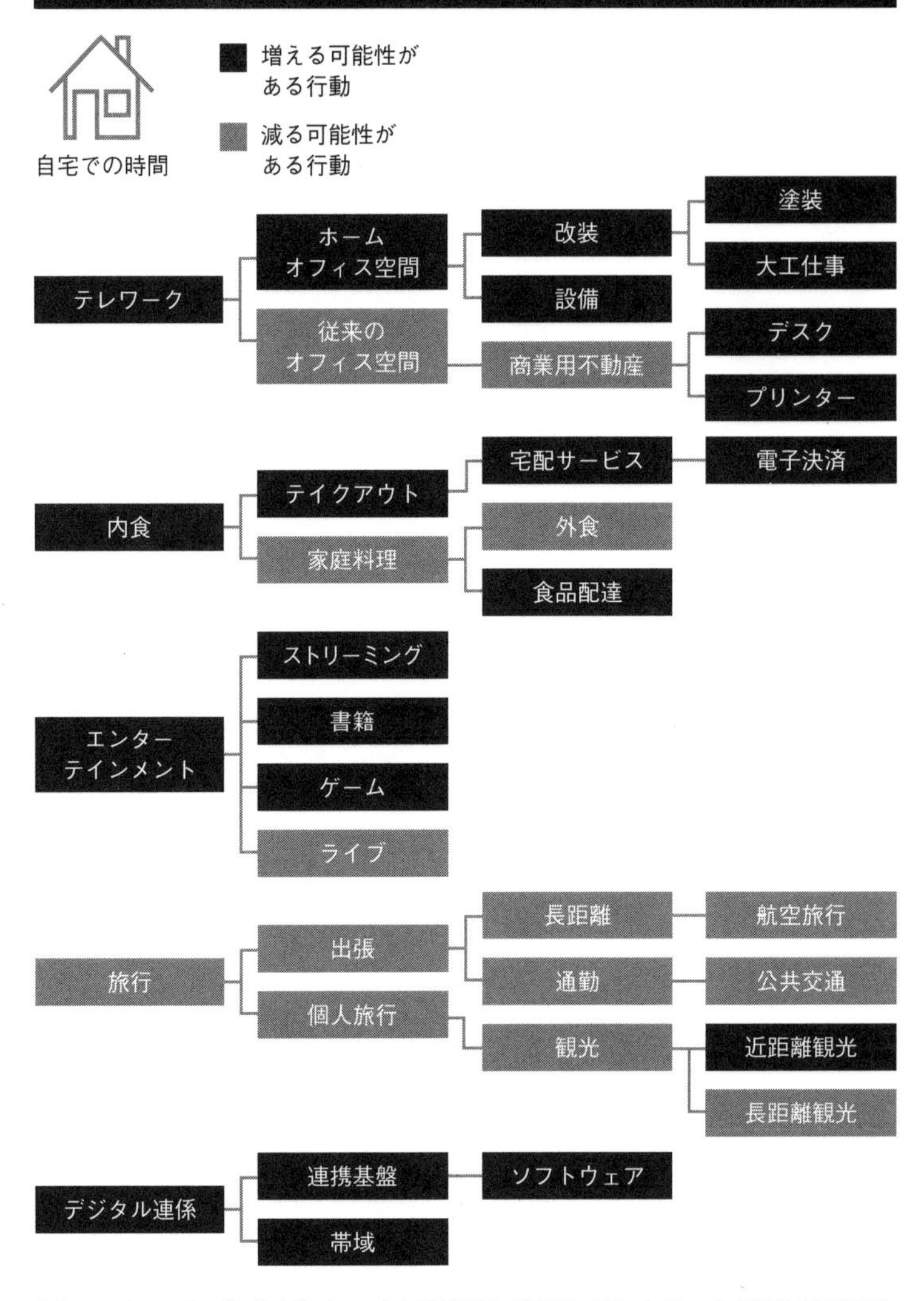

出典：マーティン・リーブス他、『ポストコロナ時代を理解し、形作る』、BCGヘンダーソン研究所、2020年4月3日、https://www.bcg.com/publications/2020/8-ways-companies-can-shape-reality-post-covid-19.aspx

商業用不動産業界は世界の成長に不可欠な原動力であり、その市場価値は、世界の株式と債券をあわせた金額を上回る。この業界は、コロナ禍の前からすでに供給過剰で苦しんでいた。緊急手段として行われるようになったリモートワークが広く定着した場合、ある不動産会社（仮にあったとして）が余ったオフィススペースをすぐに貸して、供給過剰状態を解消できるとは考えにくい。おそらく、その準備ができている投資ファンドは例外的で、商業用不動産の相場はまだこれからも大きく落ち込むことが予想される。このパンデミックが突きつけた非常に多くのマクロとミクロ両方の課題は商業用不動産にも当てはまる。パンデミック前の傾向が加速され増幅されるのだ。「ゾンビ」企業（借金を支払うために借金をし、ここ数年は利息を払うための現金すら生み出していない企業）の倒産が増え、リモートで働く人が増えるのと合わさって、空いたオフィスビルを借りるテナントはいっそう少なくなるだろう。そしてデベロッパー（大半が非常に多くの借入金を抱えている）が倒産の波にのまれ始め、その中の最大手で大きな影響力を持つ企業は、政府が救済しなければならなくなる。そのため、世界の主要都市の多くで不動産価格が長期にわたって下落することになり、この何年かで膨らんだ世界的な不動産バブルが破裂するだろう。大都市の住宅不動産にもある程度同じ論理が当てはまる。リモートワークの流れがうまく動くようになると、通勤を考慮しなくてもよくなり、雇用も増えないことで、若い世代は切り詰めてまでも高い都市で住宅を借りたり購入したりする必要がなくなる。必然的に価格は下落する。加えて、オフィスに通勤するよりも自宅で仕事をする方が気候変動にも優しくストレスが少ない。多くの人がそう気づくようになるだろう。

リモートワークが機能するということは、近隣の都市や地域に比べて高い経済成長の恩恵を受けてきた大都市から、次のランクにある新興都市へと労働者が流出するかもしれないことを意味する。この現象は、人気急上昇中の街や地域への潮流を生み出す可能性がある。手頃な価格で広い家に住む、クオリティの高い生活を求める人々を惹きつけるからだ。

とはいえ、リモートワークがこれから広く普及し、標準になるという考えは飛躍しすぎだ。実際、最も簡単にリモートに移行できる分野の「知識労働」でも、リモートワークを最大限に活用するには、慎重に設計されたオフィス環境が必要だと聞いたことはないだろうか。洗練された敷地に多額の投資をし、このような動きに長い間抵抗してきたテクノロジー業界は今、ロックダウンの経験に照らして考えを変えつつある。ツイッターは完全リモートワークに踏み切った最初の企業だった。この5月、同社のジャック・ドーシーCEOは、コロナ危機が収束しても(言い換えれば恒久的に)、多くの従業員は在宅勤務できると社内に通達した。グーグルやフェイスブックのような他のハイテク企業も、少なくとも2020年末までスタッフがリモートワークを続けることを認めると約束している。聞くところでは、さまざまな業界のグローバル企業が同様の決定を下し、スタッフの一部が勤務時間を部分的にリモート対応にするようだ。ほんの数カ月前であれば、このようなスケールでこうした変化が起きるとは想像もつかなかった。それをこのパンデミックは可能にしたのである。

高等教育でも同じように破壊的なことが起こる可能性はあるだろうか。大学のキャンパスで講義を受ける学生の方がはるかに少ないという世界は想像できるだろうか。2020年5月、6月のロックダウン中、学生はリモートで学んで卒業することを余儀なくされた。多くの学生は学期末に、9月になれば物理的にキャンパスに戻れるのかどうか疑問視していた。同時期に大学は予算を削減し始め、この前例のない状況がビジネスモデルに何をもたらすのか深く考え始めた。大学はオンラインに移行するべきか否か。このパンデミック以前に、ほとんどの大学はオンラインでのコースをいくつかは提供していたが、オンライン教育を完全に採り入れることはなかった。有名大学は、バーチャル学位では高級感が薄まり、教職員も余剰になるかもしれず、さらにはキャンパスを物理的に維持すること自体が危うくなるのではないかと恐れ、完全移行を拒否していた。しかしパンデミック後には、そうした姿勢も変わるだろう。ほとんどの大学、とくに学費が高いアングロサクソン系の大学は、新型コロナウイルス感染症によって時代遅れになったビジネスモデルを変えなければ、運営を続けられなくなるだろう。オンライン教育が9月も（そしてそれ以降も）続けば、多くの学生はバーチャル教育に今までと同じ高い授業料を支払うことを承知せず、学費の削減を要求したり入学を延期したりすることになるだろう。さらに、入学しようとする学生は、高い失業率にあえぐ社会に出るために、高等教育に法外なコストをかけるのが適切なのかとも考えることになる。解決策はハイブリッドモデルにあるかもしれない。大学は、グループ別に学生の出席を義務づけて対面式の座学を維持しながら、オンライン教育を大規模に拡大することができるだろう。すでに成功している事例もある。ジョージア工科大学のコンピューターサイエンスのオンライン修士号は、成功例としてよく知られている。[*140] ハイブリッド方式を採用することで大学はコストを削減しながら志望者を拡大できるだろう。問題は、技術や一流コンテンツの専用ライブラリに投資する資金などのない大学が、このハイブリッドモデルを大学の規模に応じて展開できるかどうかだ。しかし、オンライン教育のハイブリッドな特性を活かして、オンラインチャットを介して一つのカリキュラム内で対面学習とオンライン学習を組み合わせたり、アプリを使って個人指導その他の支援や手助けをしたりといった別の形を取ることもできる。これには学習経験を効率化するという利点があるが、キャンパスでの社会生活と個人的な交流という大きな側面がなくなってしまう欠点もある。トレンドの方向は2020年夏に明らかになりそうだ。教育の世界も他の多くの産業と同様、部分的にバーチャルになるのである。

2.2.3 レジリエンス

ビッグテック、健康と幸福、銀行と保険、自動車産業、そして電力産業に対する影響

コロナ禍でレジリエンス（回復力）という言葉が、困難な状況でも成功する能力は「なくてはならないもの」として、そこら中で見かける流行語になった。幸運にも、パンデミックに対して「もともと」レジリエンスの高い産業に身を置いている人々にとっては、大多数が苦境に陥っている時でも、この危機は耐えられるというだけでなく、むしろ儲けるチャンスでさえあった。ポストコロナの時代ではとくに、大手テック企業（ビッグテック）、健康、ウェルネスの三つの産業が繁栄することになるだろう。新型コロナウイルス感染症という危機に突然襲われ、大きな打撃を受けた他の産業では、レジリエンスの高さが、この外因性ショックから立ち直れるか、その餌食となるかの違いをもたらす。銀行、保険、自動車の三分野は、コロナ危機がもたらした深刻で長期的な不況を乗り越えるためにより大きなレジリエンスを構築しなければならない産業の例だ。

概して、ビッグテックはずば抜けてレジリエンスの強い産業だった。この過激ともいえる変化の時期に、最大の利益を受ける分野として台頭した。コロナ禍で企業とその顧客は等しく、デジタル化、オンライン計画の加速、新しいネットワーキングツールの導入、そして在宅勤務の開始を余儀なくされたため、従来は導入に消極的であった顧客にもテクノロジーが必須なものになった。この

ため、ビッグテックの株式時価総額はロックダウン中に記録を更新し続け、新型コロナウイルスの感染が広まる前の水準を上回ることになった。本書でも触れているように、この現象がすぐに衰える可能性は低く、むしろその正反対である。

あらゆるいい習慣がそうであるように、レジリエンスも私たちのすぐ側にあるものだ。パンデミック後の時代では、私たちは皆、自身の肉体的および精神的なレジリエンスの重要性を意識するようになるだろう。心身ともに健康でありたい、免疫システムを強くしたいと考える人々がいれば、それを手助けするウェルネス産業のセクターが勝者として浮上する。公衆衛生の役割も進化し、拡大していくだろう。幸福については、全体で対処する必要がある。世の中全体が不幸なら個人が幸福になることはない。したがって、パーソナルケアと同じくらいプラネタリーケア（地球環境のケア）が重要になる。これはステークホルダー資本主義や循環経済、ESG戦略など、先に説明した原則を支持するのと同じである。企業レベルでは、環境悪化に伴う健康への影響がますます明らかになっており、大気汚染、水管理、そして生物多様性の尊重などの課題が最重要なものとなる。「クリーン」なことは、消費者が求める重大な必須事項で、業界にとっては不可欠になるのだ。

他の産業もそうだが、デジタルはウェルネスの未来を形作る上で重要な役割を果たすことになる。ＡＩ、ＩｏＴとセンサー、さらにウェアラブル技術を組み合わせて、個人の幸福に関する新たな知見が得られるだろう。それらの技術によって体調や気分がどうであるかを観察することで、徐々に公的保健システムとパーソナライズされた健康創造システムとの境界があいまいになり、最終的に区別はなくなる。環境から個人的な体調に至るまで、多くの領域の大量のデータによって、私たち自身の健康と幸福をはるかにうまく制御することができるようになる。コロナ後の世界では、私たちのカーボンフットプリント（二酸化炭素排出量）、生物多様性への影響、あらゆる食品の毒性、そして私たちが進化する環境や空間の状況に関する正確な情報は、集団と個人の幸福を意識するという点で大きく進歩し、産業界は細心の注意を払わなければならなくなる。

集団としてレジリエンスを追求することはまた、幸福と密接に関連するスポーツ産業のプラスになる。健康のために運動が非常にいいことはよく分かっているので、より健康的な社会のためにコストをかけないツールとしてスポーツがますます認められるようになるだろう。政府はスポーツが公平、平等と社会統合のための最良のツールになるという副次的な効果に気づいており、スポーツを奨励することになる。しばらくの間は、ソーシャルディスタンシングのために練習が制約されるスポーツもあるだろうが、ｅスポーツがこれまで以上に普及するはずだ。ここでもハイテクとデジタルが寄り添っているのである。

コロナ危機がもたらした多くの難題に取り組んできた四つの産業では、レジリエンスの多様な性質が示されている。銀行ではデジタルトランスフォーメーションに、保険ではこれからの保険金請求に、自動車業界ではサプライチェーンの短縮に、そして電力部門では必然的なエネルギー転換に、備えているかどうかがそれぞれのレジリエンスだ。解決すべきことは各業界の中で共通だが、最もレジリエンスが高く、うまく準備できている企業だけが、結果的に成功を「形にする(エンジニアリング)」ことができるのだ。

その業態の性質上、銀行は経済危機が起こったときには嵐のエピセンター(中心地)になる傾向がある。コロナ禍でそのリスクの重大さは二倍になった。第一に、銀行は消費者の流動性危機が深刻な企業の支払い能力リスクに変わることに備える必要がある。この場合、銀行のレジリエンスが厳しく試されることになる。第二に、パンデミックによって伝統的な銀行の商慣習が挑戦を受けることに適応しなければならない。これは、レジリエンスの異なる形態でありさらに適応する能力が求められる。第一のリスクは、銀行が何年も準備してきた「伝統的な」金融リスクのカテゴリーに属するもので、大きなショックに耐えるのには十分な資本と引当金が必要だ。コロナ危機の場合、不良債権の金額が増え始めるとレジリエンスが試される。第二のカテゴリーのリスクは状況がまったく異なる。リテール銀行、商業銀行、投資銀行は、ほぼ一晩でオンラインに移行しなければならないという(しばしばあることだが)予期しない状況に直面した。同僚や顧客、仲間のトレーダーに直接会うことができないこと、非接触支払いを使わねばならないこと、そして規制当局からオンラインバンキングとオンライントレーディングをリモートワーク下で使用せよとの勧告、それらすべてによって銀行業界全体は、即座にデジタルバンキングに移行しなければならなくなった。コロナ禍ですべての銀行はデジタルトランスフォーメーションを加速し、今や定着しているが、サイバーセキュリティのリスク（適切に対処しないと、システムの安定性に影響を及ぼす可能性がある）を高めている。ぐずぐずしてこの高速のデジタル列車に乗り遅れた銀行は、順応して生き残ることが非常に困難になるだろう。

保険業界では、商業用不動産や事業の中断、旅行、生命、健康、賠償責任（労働者災害補償や雇用関連賠償責任など）を含むさまざまなタイプの家計保険と事業保険で、多くの新型コロナウイルス感染症関連の請求が行われている。保険はリスク分散の原則に基づいて成り立ち、機能しているので、コロナ禍で政府がロックダウンを決定すると、事実上この原則が抑制されて保険業界に特有のリスクをもたらしている。このため、世界中の何十万もの企業が保険請求ができず、数カ月の間（数年とは言わないまでも）、訴訟を続けるか、破綻するかの瀬戸際に立っている。2020年5月、保険業界はこのパンデミックで2000億ドル以上の費用がかかる可能性があると見積もり、保険業界史上最もコストが高い出来事の一つになるとした（予測時の前提であるロックダウン期間が延びれば、費用も増加する）。この業界にとってポストコロナでの大きな課題は、パンデミック、異常気象、サイバー攻撃、そしてテロなど幅が広く「保険をかけられない」かもしれない破滅的なショックについて、自分たちがより大きなレジリエンスを構築して顧客の進化する保険ニーズに対応することである。予想される保険金請求や前例のない申し立てと損失の可能性に備えつつ、超低金利の環境でやり繰りしながら、これに対処しなければならないのである。

ここ数年で、自動車業界は貿易や地政学的な不透明性、売上の減少、二酸化炭素排出のペナルティから、急速に変化する顧客の需要やモビリティの競争激化が持つ多面的な性質（電気自動車、自動運転車、カーシェアリング）に至るまで、難しい課題の嵐に翻弄された。このパンデミックは、これらの難題に加えて、サプライチェーンの不透明性の問題を業界に突きつけ、状況を悪化させた。感染発生初期の段階では、中国製部品の不足が世界的な自動車生産に悪影響を与えた。今後数カ月から数年で、自動車業界はサプライチェーンの能力低下と自動車販売の減少を背景に、組織全体と運営方法を考え直さなければならないだろう。

このパンデミックの状況の各段階、とくにロックダウン中に、電力部門は不可欠な役割を果たした。それによって、世界の大部分がデジタルで動いたり、病院が運営できたり、すべての生活必需産業が正常に事業展開できたりしたのである。サイバー攻撃の脅威や需要パターンの変化が引き起こす難題にもかかわらず、電力供給は維持され、ショックに対するレジリエンスの高さを証明した。今後、電力部門はエネルギー転換を加速させるという大きな課題を受け入れなければならない。革新的なエネルギーインフラ（再生可能エネルギー、水素パイプライン、電気自動車充電ネットワークなど）と、産業クラスターの再開発（化学品生産に必要なエネルギーの電化など）と組み合わせた投資で、クリーンエネルギー生産によってエネルギー部門の全体的なレジリエンスを高めながら、雇用と経済活動を創出し、景気回復を支える可能性がある。

＊＊＊＊＊

ミクロリセットは、あらゆる業界のすべての企業に、ビジネスや働き方、運営の新しい方法を試すことを強いる。昔のやり方に戻ろうとする企業は失敗することになり、迅速性と想像力を持って順応する企業が最終的にコロナ危機を飛躍のチャンスとすることができるだろう。

3. INDIVIDUAL RESET

個人のリセット

マクロリセットやミクロリセットと同じように、今回のパンデミックは私たち一人一人にさまざまな深い影響を及ぼすだろう。多くの人の生活が、すでにかなりの打撃を受けてきた。COVID-19（新型コロナウイルス感染症）によって、世界中で大半の人が家族や友人から離れて自己隔離し、プライベートも仕事も予定がめちゃめちゃになり、経済的、心理的、身体的な安心感は徹底的に揺さぶられた。人間はそもそも、はかなく、もろく、弱点だらけであることを、誰もが思い知らされた。この気づきがロックダウン、そして、その先が見えない根深い不安感によるストレスと相まって、人や社会との接し方はいつの間にか変わってしまった。人によっては、たった一つの変化が自分そのものをリセットすることにつながるかもしれない。

3.1 人間らしさの見直し

3.1.1 現れるのは「よき本性」か……それとも？

心理学者によると、世の中を突き動かすような出来事にはよくあることだが、このパンデミックもまた人の最良の面と最悪の面の両方を引き出すという。現れるのは、天使か、悪魔か？　その証拠とは何だろう。

最初は、パンデミックが起こったことで人の絆が深まったように見えた。たとえば２０２０年３月のイタリアの状況を思い出してみよう。その時期、この国は最悪の状態だった。報道を見た世界の人々は、このような印象を受けた。この国を新型コロナウイルス感染症による破滅的状況が呑みこもうとしている。だが、コロナ危機がもたらした数少ない、思いがけない良い面があるとしたら、団結して「戦おうとする姿勢」だ、と。市民全員が強制自宅隔離になると、人々は以前よりも人助けに時間を割き、互いにいたわりあっているように見える実例が無数に見られた。このことで共同体意識が強まった。著名なオペラ歌手は近所の住人のために自宅のバルコニーから歌を披露した。医療従事者に敬意を表し、人々は毎晩声を合わせて歌った（この現象はほぼヨーロッパ全土に広まった）。助け合いの精神や、困っている人を助けようとするさまざまな行動も見られた。イタリアがある意味、手本を示したのだ。以来、強制自宅隔離の期間、世界各地で人や社会の驚くべき連帯感を示す、似たような例が幅広く現れた。至るところで、親切心や寛大さ、利他主義を表すちょっとした行動が常識になりつつあるように思えた。協力という概念、共同体を重んじる考え、社会の利益と思いやりのためなら、自分の利益を犠牲にする価値観が重んじられるようになった。反対に、個人の権力、名声やステータスをひけらかすと冷ややかな目で見られるようになった。パンデミック拡大につれ「有名で金持ち」というふれこみは輝きを失った。ある評論家は、現代社会のキーワードともいえる「セレブ崇拝」はコロナウイルスの影響で瓦解したと指摘し、こう述べた。「社会がロックダウンし、経済が停滞し、死亡者数が増えるのを眺め、手狭なアパートであれ豪邸であれ未来の希望もなく閉じこもっていたら、頑張ればのし上がれる、といった夢は消える。貧富の差がこれほどくっきりと現れたことはない[*141]」。表現こそ異なるが、このような意見は社会評論家だけではなく、当の一般市民の間にも広まって、人々は考えこんだ。パンデミックは果たして、人のよき本性を引き出したのだろうか。このことは、人々がより高潔な意義を求めようとするきっかけになり、さまざまな疑問が浮かんだ。パンデミックを機に、人も世界も良い方向に動くのだろうか？　今後、価値観は変わるのか？　人との絆をもっと大切にし、社会とのつながりを意識的に保つようになるのか？　シンプルに言うなら、われわれはもっと人に優しく、思いやりを持てるようになるのだろうか？

歴史を振り返ると、ハリケーンや地震といった自然災害は人を団結させるが、パンデミックは逆に人を孤立させる。自然災害はある日突然起き、破壊的だが、普通はたちまち過ぎてゆく。人々は結束し、比較的早く立ち直ることが多い。ところがパンデミックはじわじわと長期間続くために、何かにつけ（他者に対して）疑心暗鬼になりやすい。その奥には、死への根源的な恐怖がある。心理学的に見ると、パンデミックが引き起こすものの中で最も本質にあるのは底知れぬ不透明感で、それが不安の原因となる。明日何が起きるか分からない（新型コロナウイルス感染症の次の波が来るのか？　大切な人が感染してしまうのではないか？　仕事をクビになるのではないか？）。何の保証もないことが人々を落ち着かなくさせ、悩ませる。人間は、本能的に確かさを求める生き物だ。そのため「認知的閉鎖」の状態を求める。つまり「いつも通り」にできなくなる不確実性や曖昧さを消せそうなことが必要になるのだ。パンデミックという状況の下では、リスクは絡み合い、全体像がなかなか見えず、ほとんどのことがよく分からない。だから、いざ直面すると、突然の自然災害（あるいは人災）でよくあるように他者を助けるのではなく、無駄なことをしなくなることが多い（つまり、報道によって一般的に知られている最初の印象とは真逆の現象である）。これが恥意識の根深い元になる。パンデミックの期間中、人々の行動や反応を突き動かす中心的感情になるのは、この恥意識だ。これは倫理観に基づく居心地の悪さのようなもので、後悔や自己嫌悪、「正しい」ことをしていないという淡い「不名誉」な感じが入り混じった不快な感情である。恥意識はこれまで、歴史上の疫病大流行を題材にした数々の小説や文学作品で描かれ、分析されている。なかには親が子どもを見捨てて死なせるといった、過激で悲惨な物語もある。『デカメロン』は１３４８年にフィレンツェを襲ったペスト大流行のとき、ある別荘に引きこもった男女のグループが一人ずつ語る小話を集めた物語集だ。その冒頭で、作者のジョヴァンニ・ボッカッチョはこう述べている。「多くの父親や母親が我が子の世話をせず、見舞いもせず、見捨てたことが分かった」。他にも、多くの文学作品が過去のパンデミックを題材にした。ダニエル・デフォーの『ペストの記憶』（研究社、２０１７年）やアレッサンドロ・マンゾーニの『いいなづけ』（河出書房新社、２００６年）では、死への恐怖が人間らしい他のあらゆる感情を踏みにじることが、往々にして起きる様子が描かれている。あらゆる状況で、人々は命にかかわる決断を迫られる。生き残っても、究極の選択をした自分の身勝手を深く恥じるのだ。幸い、何にでも例外はある。たとえば、新型コロナウイルス感染症のさなかでとりわけ人々を感動させたのは、医師や看護師の思いやりと勇気にあふれるさまざまな行動だ。その多くは、職業的義務感を超えていた。だがどうやらこの人々はとにかく、別格であるようだ。第一次世界大戦の終わりにアメリカでスペイン風邪が流行した。その影響を分析したルポルタージュ『グレート・インフルエンザ』[*142]（共同通信社、2005年）で歴史家ジョン・バリーは、「医療従事者は仕事を手伝ってくれるボランティアを十分に見つけられなかった」と述べている。インフルエンザが猛威を振るうにつれ、ボランティアを申し出る人が減っていったからだ。1918年から1919年にかけて広まったパンデミックについて一般的な情報がほとんど知られていないのは、後に集団としての恥意識が広まったからかもしれない。実際にはアメリカだけでも、第一次世界大戦そのものの死者数の12倍もの人がこの病で死んでいる。また、現在までにこの事態を題材にした書籍や戯曲があまりに少ないのも、その恥意識のせいかもしれない。

心理学者によると「認知的閉鎖」には、黒か白かという極端な発想や短絡的なソリューションが求められることが多い[*143]。そうすると、陰謀論が出回りやすく、噂やフェイクニュース、意図的な悪意が広まりやすくなる。そういうとき、人はリーダーシップ、権威、明快さを求める。すなわち、（身近なコミュニティやリーダーの中から）誰を信頼するかという問題が重要になる。当然、誰を信用しないかという真逆の問題もついてくる。ストレスのある状況では、連帯感や団結への意識が高まると仲間やグループへの執着が強くなり、そうなるとたいがい、その中では人とうまくつきあおうとするが、グループの外ではそうはしない。考えてみれば当たり前だ。自分の弱さやもろさを意識すると、身近な人に頼るようになる。子どもや病人と同じだ。身近な存在との絆が深まるとあらためて、家族や友人など、愛する人すべてに感謝の気持ちが湧いてくる。しかしこれにはダークな面もある。愛国心や民族主義的な感情もかき立てられ、宗教や民族が絡むやっかいな問題も浮上するからだ。しまいにはこの最悪の組み合わせが、社会集団として最悪の事態をもたらす。トルコの作家、オルハン・パムク（2006年にノーベル文学賞を受賞。最新作『ペストの夜』を2020年末に発表予定）は、人類がこれまでどのように疫病に対応してきたかを述べている。それは、噂や間違った情報を広め、病気は悪意を持って外国から持ちこまれたと触れ回ることだった。そうなると、人はスケープゴートを探す。それが歴史上、疫病流行のたびに必ず繰り返されてきた。「ルネッサンス以降、ペストが流行すると、予測もできず制御もできないうちに決まって暴力や噂、パニック、反乱が暴発する*[144]」のはそのためだ。パムクはさらにこう述べる。「ペストにまつわる歴史や文学を見れば分かる。打ちひしがれた一般大衆が味わう苦しみ、死への恐怖、先走る不安、現実離れした感覚の度合いによって、怒りや政府への不満の深刻さも決まる」

新型コロナウイルス感染症のパンデミックがはっきりと示したのは、私たちが生きている世界は、相互につながっているものの、国家間の連帯や個人の連帯が大きく失われている世界だということだ。強制自宅隔離の期間を通じて、人と人との絆の素晴らしい例とともに、反面教師とすべき自分勝手な行動も目についた。世界を見回すと、助け合いという美徳がないことが目立ってきた。人を人たらしめるのは互いに協力し、その過程で自分たちよりも大きく、偉大なものを生み出す力があるからだと人類の歴史が証明しているのに、実践できていなかった。コロナ危機をきっかけに、人は自分の殻に閉じこもるのだろうか？　それとも、生来の思いやりと助け合いの心を育み、より大きな連帯へと向かうのだろうか？　過去のパンデミックを見ると希望が持てるとは言い難い。ただし、今回は根本的な違いもある。今まで以上の協力体制がなければ、全人類が直面しているグローバルな課題に対応できないということに、人類ははっきりと気づいている。ストレートに言おう。自分たちの存在そのものを揺さぶるリスク（環境問題が果てしなく悪化し、グローバルガバナンスが急速に力を失うといったリスク）に連帯して対応しなければ、人類は滅びる。だからこそ、私たちは自分たちが生まれ持った「よき本性」を奮い起こさねばならないのである。

3.1.2 倫理的選択

今回のパンデミックによって人は皆、哲学的議論に引きずりこまれた。市民も政策決定者も、好むと好まざるにかかわらず、ダメージをできるだけ抑えつつ公共の利益を最大化する方法をめぐって深く考えさせられた。何よりも、これを機に公益の本当の意味をじっくり見つめるようになった。

公益とは、社会全体のためになることを指すが、社会にとって何がベストかをどのように決めたらいいのだろうか？　何がなんでも失業の増加を食い止めるために、ＧＤＰの成長と経済活動を維持することが公益なのか？　社会的弱者に手厚くし、お互いのために犠牲を引き受けることなのか？　それとも公益はその二つの中間にあるというなら、どのようなトレードオフが存在するのか？　リバタリアン（個人の自由を最優先する自由至上主義者）や功利主義者（最大多数の最大幸福を求める人々）のような哲学者は、公益は追求する価値のある大義だという意見に異論をはさむだろうが、道徳論的な対立は解決できるのだろうか？　パンデミックによってこうした人々の議論が沸騰し、対立する陣営の間で熱のこもった議論が交わされた。「冷徹」で合理的だとされる意思決定は、その多くが経済、政治、社会のみを考慮したものだ。しかし実際には、人としての在り方を教えてくれる思想をひたむきに求める道徳哲学の深い影響を受けている。もっと言えば、パンデミックへの最善の対応を目指した判断はすべて、倫理的選択だと捉え直すこともできるだろう。人はほぼ常に、倫理感を背負いながら行動しているのだ。持たざる人に与え、意見の合わない人に共感できるか？　より大きな公益のためなら公衆に嘘をついても許されるか？　新型コロナウイルスに感染していたら、たとえ隣人でも助けなくていいか？　事業の存続が社会のためになるなら、従業員を解雇してもいいのか？　安全かつ快適に暮らすために別荘に避難してもよいのか、それとも、自分より困っている人にその場所を提供すべきか？　強制自宅隔離令を無視して、友人や家族を助けに行ってもいいのか？　どの判断も、大なり小なり倫理感の問題にかかわり、こうした疑問すべてにどう対応するかによって、よりよい人生を生きられるかどうかが決まるのである。

道徳哲学の概念と同じように、公益という発想はとらえどころがないだけに異論が出やすい。今回のパンデミックをきっかけに、その対応では、功利主義的な計算法を使うべきか、あるいは、命の尊厳について神の領域とも言えるルールにこだわるべきかの判断をめぐり、極めて熱のこもった議論が巻き起こっている。

倫理的選択というテーマが凝縮された典型例がある。ロックダウン初期の頃、公衆衛生と経済成長の打撃とのトレードオフという問題で熱い議論が噴出した。先に述べたように、ほぼすべてのエコノミストがインチキだと指摘したのは、多少の命を犠牲にしてでも経済を救うべきだというもっともらしい説だ。ところが、専門家が判断を下しても、この論争や議論は終わらなかった。アメリカをはじめとする一部の国々では、人命より経済を優先することが正当化されるというスタンスの政策決定者もおり、それに基づいた政策を選択している。これはアジアやヨーロッパでは考えられないことだ。これらの地域でこのような宣言をすれば、みずから政治生命を断ったも同然だ。（こうした認識があったからこそ、イギリスのジョンソン首相はおそらく、集団免疫をめざすという最初の政府方針を早々に撤回したのだろう。この集団免疫は、社会的ダーウィニズムの一例として専門家やメディアが頻繁に取り上げるものだ）。命よりも経済活動を優先するという考え方の歴史は古く、17世紀にイギリスで発生したペスト大流行のときのシエナ（現在のイタリア）の商人から、コレラ大流行をひた隠しにした1892年のハンブルグの商人まで枚挙にいとまがない。とはいえ、それをいまだに続けるのはナンセンスだろう。現代では医療知識も、科学的データも自由に手に入るからだ。「繁栄のためのアメリカ人の会（Americans for Prosperity）」のような団体は、景気が後退すれば人命も失われるという議論を主張する。確かに間違いなく真実だが、それ自体が倫理に照らした政策選択に基づいている。アメリカでは実際に不況で多くの人が死ぬ。それは、アメリカでは社会のセーフティーネットがないか不十分であるため、失業すれば命にかかわるからだ。なぜか？　失業して、国の支援も健康保険もなかったら、自殺や薬物の過剰摂取やアルコール中毒など「絶望による死」に至りやすい。経済学者のアン・ケースとアンガス・ディートンはこのことを示し、徹底的に分析している。[*145] アメリカ以外の国でも、不況で人が死ぬことはある。しかし、健康保険や労働者保護という点で言うと、アメリカが政策を選択する余地は極端に少ない。これは究極的には、倫理的に選択した結果なのだ。個人主義の特性と、共同体の特性のどちらを優先すべきかということだ。それは個人の選択でもあり、集団の選択でもある（選挙で表明できる）が、このパンデミックで起こっていることを見ると、極めて個人主義的な社会は連帯感をうまく表せていないのである。[*146]

2020年初冬の第一波のあと、世界中の多くの国が深刻な不況に陥りつつある頃は、さらに厳しいロックダウンなど政策として考えられないように思えた。世界でもトップレベルの豊かな国でも間違いなく、いつまでもロックダウンを乗り切る「ゆとり」などない。たとえ1年だろうとも。これに伴う影響の中でもとりわけ、失業者はすさまじく増えるとみられ、社会の最貧層はもとより、多くの個人の安定した暮らしに大がかりな劇的な影響が及ぶだろう。ノーベル経済学賞を受賞した経済学者であり哲学者でもあるアマルティア・センはこう語っている。「人は病があると死ぬ。それに、生活の手段がなくなっても死ぬ[*147]」。そうなると、検査や接触追跡機能が幅広く活用できる現代では、個人、および集団による多くの決定は必然的に複雑な便益分析になるし、ときには「血も涙もない」功利主義的な計算も必要かもしれない。政治的判断はいつも、できるだけ多くの人命を救うことと、できるだけ経済活動をフルに動かし続けることを天秤にかける極めて微妙なものになる。生命倫理学者、それに道徳哲学者はよく仲間うちで、死者、あるいは救えたはずの死者の数を数えるより、失われた、あるいは救えた生存年数を数えるべきかどうかを論争している。失われた人命の数より、失われた生存年数を考えるべきだという説の代表的支持者は、生命倫理学者であり、『あなたが救える命』（勁草書房、2014年）の著者であるピーター・シンガーだ。シンガーはこんな例を出している。イタリアでは、新型コロナウイルス感染症で亡くなる人の平均年齢は約80歳だが、そう聞くとこんな疑問を抱かずにはいられないだろう。「イタリアではいったい何年の余命が失われたのだろう。コロナウイルスで死んだ人の多くは高齢だっただけではなく、もともと病気を抱えていたのではないか」。一部のエコノミストが概算したところ、イタリア人はざっと3年の余命を失っていた。戦争でおびただしい数の若者が死んだときに40年から60年の余命が失われたのとはまったく違うのである。[*148]

この例を出したのには、理由がある。今では、世界中の人類ほぼすべてが次のような問題についてそれぞれ意見を持っている。自国のロックダウンが厳しいか生ぬるいか、もっと短くすべきだったか長くすべきだったか、適切に実行されたかどうか、規制は正しく行われたかどうか、といった問題だ。これらの問題は「客観的事実」として扱われている。しかし実際には、私たちが常に行っているこうした判断や意見表明は、その根底にある極めて個人的な倫理観に照らして決まっている。要するに、パンデミックがきっかけであらわになった倫理的選択を、人々が事実または意見として示しているのだ。善悪の基準に基づいた判断には、その人間性がでる。分かりやすい例を挙げよう。WHOや多くの国の保健機関が、公共の場所でのマスク着用を人々に呼びかけた。これまでは疫病予防の手軽なリスク回避方法だと思われてきたことが、このところ政治問題となっている。アメリカなどひと握りの国が、マスク着用要請を個人の自由を侵害する政治的圧力だとするようになった。しかし政府が何を言おうと、公共の場所でのマスク着用を拒否することは倫理的な選択だし、着用するのもまた倫理的な選択だ。その判断を見れば、その人がどのような倫理原則に従って選択や決定をしたか分かるのだろうか？　答えはおそらく、イエスだ。

パンデミックはまた、公平性が決定的に大事だと人々にあらためて思い知らせることになった。公平性とは極めて主観的な考えだが、社会の調和には欠かせない。公平性に照らして考えると、経済について人々が何よりも基本原則とするものには、そもそも倫理的要素が組みこまれていることに気づく。たとえば、需要と供給の法則を見ているときに、公平性あるいは正義についても考えるべきだろうか？　また、その反応にはその人の何が反映されているだろう？　分かりやすい倫理上の問題が、パンデミックが急に広がった2020年初頭のある時期に浮上した。一部の生活必需品（ガソリンやトイレットペーパーなど）や、新型コロナウイルス感染症対策の必需品（マスクや人工呼吸器）が不足し始めたのだ。どうすればよかったのだろうか。需要と供給の法則の魔法に任せて、商品価格が上がるだけ上がれば、マーケットは均衡したのだろうか。逆に、しばらくの間は需要や価格を規制した方がよかったのだろうか。ノーベル経済学賞を受賞した二人の学者、ダニエル・カーネマンとリチャード・セイラーが1986年に書いた有名な論文でこの問題を取り上げて、こう書いた。緊急事態での価格上昇は社会的観点からすると不適切だ。それは公平性に欠けるからだ。一部のエコノミストは、需給バランスが逼迫して値上がりすれば、パニック買いを防ぐという意味では効果があると主張するが、ほとんどの人がこれは経済の問題というよりも公平性に対する人々の感情、つまり、倫理的判断がからむ問題だと考えるだろう。ほとんどの企業はこう考えている。パンデミックのような緊急事態に欠かせないマスクや消毒液のような必需品の価格吊り上げることは、節操のないことであり、倫理的にも社会的にも許されない。そのため、アマゾンはサイト上での便乗値上げを禁じ、大手小売チェーンは価格を値上げするより顧客一人当たりの購入数に上限を設け、品不足に対応した。

倫理的な配慮もリセットされるのか、そしてそれがアフターコロナの世界でも、人々の態度や行動に永続的な影響を及ぼし続けるのかどうかは、まだ分からない。だが少なくとも、人は自分の価値観に照らし、倫理的選択に基づいて決定を下しているという事実に今や一人一人が気づいていることは間違いないだろう。すると今後、もし（確率としてはかなり低い「もし」だが）人間関係の大きな部分を損なう自分本位の考えを捨てれば、これからはずっと包摂的（インクルーシブ）であることや、公平性の問題がもっと身近に感じられるかもしれない。作家オスカー・ワイルドは、1892年にすでにこの問題を取り上げ、皮肉屋のことをこう書いた。「あらゆるものの値段を知っているくせに、いかなるものの価値も知らない人間のことである」

3.2 心身の健康

ここ数年、世界中で精神疾患が蔓延しつつある。今回のパンデミックによってその状態は悪化しており、さらに悪くなりそうだ。多くの心理学者（今回、話を聞いた人たちは全員）は、2020年5月にある心理学者が発表した「パンデミックはメンタルヘルス（心の健康）に甚大な影響を及ぼした」という説に賛成している。[*149]

心の病を抱えている人はたいがい、素人目には分からない心の傷をいくつも抱えている。メンタルヘルスの専門家によれば、この10年間、うつ病や自殺、重度の精神疾患、依存症などの心の病気が爆発的に増えている。2017年には、世界中で約3億5000万人が、うつ病に苦しんでいた。当時WHOは、うつ病は2020年までに主な病気の第二位となり、2030年には虚血性心疾患を抜いて第一位になると予測した。米疾病対策センター（CDC）が2017年に行った試算によるとアメリカでは、成人の26％がうつ病だという。それもだいたい20人に1人の割合で、中等度から重度の症状を示している。調査当時、アメリカ人成人の25％がその年の終わりまでに新たに心の病気にかかり、約50％が人生のうち最低でも1回は心の病気を発症すると試算されていた。[*150] 似たような（ただし、これほど深刻ではない）数字や傾向が、世界中のほとんどの国で見られる。職場では、メンタルヘルスの問題は、経営陣にとって気づいてはいても手をつけられずにいる問題の一つだ。職場が原因のストレス、たとえばうつ病や、不安神経症の蔓延は、これからも悪化しそうだ。分かりやすい例を挙げると、イギリスでは2017年から2018年の間、不調が原因で失われた労働日数合計の半分以上（57％）を、ストレス、うつ病、不安神経症が占める。[*151]

多くの人にとって、新型コロナウイルス感染症を生き抜くことはすなわち、個人的なトラウマを生き抜くことと同じだ。そのとき受けた傷が癒えるまで何年もかかる。まず、パンデミックの最初の数カ月、人々は身近な経験や知識に照らして、または極端な体験を基準にものを考え、判断を誤りやすくなっていた。この二種類の短絡的思考にとらわれると、人はパンデミックとその危険性が頭から離れなくなり、同じことを繰り返し考えるようになる。その数カ月間は、報道は新型コロナウイルス感染症一色になり、当然、悪いニュースしか入ってこなくなった。死亡者数や感染者数の発表、それに悲観的な話ばかりがしつこく報道され、センセーショナルな画像や動画も添えられていたため、自分自身や大切な人たちへの心配が人々の発想全体に広まっていた。緊張が張り詰めたムードは、心の健康を容赦なくむしばんだ。メディアがあおる不安感は世間に広まりやすい。これらすべてが絡み合って現実となり、この出来事はほぼ誰にとっても、個人的な悲劇だった。その原因はさまざまで、収入の減少や失業による経済面での影響、家庭内暴力、強烈な孤立感や孤独感、あるいは、かけがえのない人の死をきちんと嘆けない状況で生じる感情面での影響などがある。

そもそも人は、社会的な生き物だ。人づきあいや社会的な相互作用があってこそ人間らしさがある。もしそういったものを奪われたら、人々の暮らしは混乱する。社会との関わりの大半が、強制的な自宅隔離や、フィジカルまたはソーシャルディスタンシングによって根こそぎ壊されてしまった。さらに新型コロナウイルス感染症では、人々の不安感が最高潮に達し、そういった関わりが何よりも求められたときに、ロックダウンが始まった。人間らしい営みである習慣、握手やハグ、キスなどが抑制された。その結果、孤独感や孤立感が募った。今のところ、かつてのライフスタイルに完全に戻れるのか、戻るとしたらそれがいつなのかは分からない。パンデミックのどのステージでも、とくに、ロックダウンの終わりにかけては、不安感がリスクとして残る。強烈なストレスの時期が過ぎても生じるこの感情を、心理学者は「第3四半期現象」と呼ぶ[*152]。これは、長い間孤立して暮らした人（南極観測越冬隊員や、宇宙飛行士）に見られ、任期が終わりに近づくと不調や不安を訴える現象を指す。こういった人々と同じように、地球全体で、心の健康についての人類共通の感覚が激しく揺さぶられた。第一波には対応したものの、次の波が来るのか、あるいは来ないのかひどく気にしている。この、心をむしばむ複雑な感情というリスクがやがて、社会全体を閉塞させるのだ。以前なら平凡な生活ではごく当たり前だったこと、それに人生に欠かせない楽しい予定（海外にいる家族や友人を訪ねる、大学の来学期の受講予定を考える、新しい仕事を探すといったこと）を立てること、さまざまなライフイベントも今や、計画も取り組むこともできない。そのため、人々は混乱し、気力を奪われているかもしれない。多くの人が、ロックダウン解除後に襲ってくる日々の葛藤の重圧やストレスを数カ月間は味わうだろう。公共の乗り物に乗っても安全だろうか？　行きつけだったレストランで外食をするのは危険だろうか？　家族や親戚の老人や友人を訪ねても構わないだろうか？　これからずっと、こうしたごくありふれたことを決めるにも、恐怖感から行動をためらうことになる。年齢や健康状態によって感染リスクの高い人ならなおさらだ。

本書執筆中の2020年6月の時点では、パンデミックの影響のうちメンタルヘルスについては、数値化もできないし、一般的なやり方では評価できない。ただし、大まかな全体像は分かっている。ポイントは以下の通りだ。(1)うつ病のような心の問題を前から抱えていた人は、不安神経症に苦しむようになる。(2)ソーシャルディスタンシングを伴う対策は、それらが縮小された後でさえも、メンタルヘルスの問題を悪化させる。(3)多くの家庭で収入が減り、失業すると、「絶望による死」に追い込まれる人が出る。(4)とくに女性や子どもへの家庭内暴力や虐待が、パンデミックが続く限り増えていく。(5)子どもや「社会的弱者」（被介護者、社会的にも経済的にも恵まれない人や、一般の人よりも手厚いサポートが必要な障害者など）はとくに精神的苦痛が増すリスクがある。以下でもう少し詳しく説明する。

多くの人はパンデミックの最初の数カ月に心の不調が一挙に噴き出し、ポストパンデミックの時代になっても症状は進行し続ける。２０２０年３月（パンデミックが始まったばかりの頃）、ある研究者グループが権威ある医学雑誌『ランセット』に発表した論文によると、強制自宅隔離によってトラウマ、混乱、怒りなどさまざまな、深刻なメンタルの症状が現れた。[*153] 世界の人々の大半は最も深刻なメンタルヘルスの問題に陥らずにすんでいるものの、間違いなくさまざまなレベルのストレスに苦しんでいる。何よりも、以前からメンタルヘルスの不調を訴えていた人々は、新型コロナウイルス感染症への対応に付随する問題（引きこもり、孤立、苦悩）が悪化するだろう。嵐を乗り切れる人もいるだろう。だがもちろん、うつ病や不安神経症だったのが、急性の臨床症状にまで進む場合もあるだろう。非常に多くの人が、重度の気分障害を初めて味わっている。そこには躁状態や、うつ病の初期症状や、ありとあらゆる心理的体験が含まれる。この人たちは皆、パンデミックやロックダウンに直接または間接的にかかわる出来事、孤立感や孤独感、感染や失業、近親者との死別や家族や友人への心配などがきっかけで発症した。２０２０年３月、イギリスの国民保健サービス（ＮＨＳ）のメンタルヘルス臨床部長は議会特別委員会でこう報告した。「ロックダウンが終わったらメンタルヘルスケアの需要は『著しく』伸び、今後数年間はそのトラウマの治療を求める人が増える」[154]。この状況はどこでもそれほど変わらない。

家庭内暴力が、パンデミックの間に増えている。しかし、いったいどれくらい増えたのかを正確に測るのは難しい。通報されずに終わるケースがかなり多いからだ。とはいえ、事例がますます増えたのは、不安感と経済的な不透明感が相まったことが原因であるのは確かだ。ロックダウンのせいで、家庭内暴力の増加に欠かせない要素がすべて重なった。友だちや家族、仕事から離れ、暴力を振るうパートナー（たいがい、この人たち自身がさらに激しいストレスにさらされている）が物理的に近くにいて常に監視され、逃げるという選択肢は限られているか、そもそもない。ロックダウンによって、以前からの虐待的な行動が助長され、被害者やその子どもたちには家の外にも安心できる場所がほとんど、あるいはまったくなくなる。国連人口基金の予測によると、ロックダウン期間中に家庭内暴力が20％増えるとしたら、2020年の身近なパートナーによる暴力の事例は、ロックダウン期間が平均3カ月間なら1500万件増え、平均6カ月間では3100万件、平均9カ月間では4500万件、1年続くと6100万件が加わるという。これらの数字は世界全体の予測であり、国連全加盟国193カ国を対象とした調査だが、ここには、男女間で起きる暴力はほとんど報告されないという特徴がかなりはっきりと表れている。一言でいうと、ロックダウンが続く限り、3カ月ごとに男女間での暴力は1500万件ずつ増えるという[155]。ポストパンデミック時代に、家庭内暴力がどのように展開するかは予測しにくい。困難な状況によってさらに家庭暴力が起きやすくなるだろうが、それは各国が家庭内暴力の起きる二つの誘因を抑制できるかどうかに負うところが大きい。その二つとは、(1)家庭内暴力の予防や保護の取り組み、社会サービスやケアの減少、(2)それに付随する暴力事件の増加だ。

単なるお話のように思えるかもしれないが、ある程度、現実味のあるアイデアを紹介してこの項を締めくくろうと思う。当面はさらに拡大するであろうオンラインミーティングがひっきりなしに続く時代ならではの発想で、ビデオチャットと心の健康という組み合わせはあまり良くないのではないか、というものだ。ロックダウン中、ビデオチャットのおかげでプライベートでも仕事でも、多くの人が救われた。人とのつながりや離れたところに住む人との交流、同僚とのつき合いを保つことができた。反面、ビデオチャットは気疲れもする。これは「ズーム疲れ」という言葉で広く知られるようになった。使うアプリやデバイスは何であれ、ビデオチャットで味わう疲労感のことを指す。ロックダウン期間中、幅広い層の人々がコミュニケーションのためにモニターやビデオ機器を手に入れた。ある意味、これは大々的な社会実験ともいえる。その結論は、こうだった。バーチャルなコミュニケーションは脳に負担をかけ、不安にさせる。こうしたやりとりが仕事やプライベートなやりとりのほぼすべてである場合は、とくにそうなる。人は社会的動物だ。だから、リアルな社会的交流の中でコミュニケーションや相互に理解しようと思えば、言葉以外の方法で示される無数のささいなシグナルが欠かせない。誰かとじかに会って話すとき、人は相手の言葉に集中するだけではなく、無数にある言外の含みも敏感にとらえて判断し、相手の真意を図ろうとする。ビデオではこっちを見て話しているが、腰から下は正面を向いていないのではないか？　手の動きはどうか？　体全体からどんな雰囲気が伝わってくるか？　呼吸のリズムはどうか？　ビデオチャットでは、こんな微妙なニュアンスがこめられた非言語的シグナルは絶対に感知できない。だから、相手の言葉や顔の表情だけに集中するしかなく、それもビデオの品質によって安定しない。バーチャルな会話では、真剣なアイコンタクトが延々と続くが、これはともすると相手を怯えさせ、威嚇することもある。上下関係があるなら、なおさらだ。「ギャラリー」ビューになると、問題はさらに大きくなる。おびただしい数の人が視界に入ってくるため、脳が認知する中心視野が圧倒されてしまうのだ。これは、限界をはるかに超えており、人は一度にそんなにたくさんの情報を読み取れない。心理学者はこれを「継続的な注意力の断片化」と呼ぶ。脳がマルチタスクで処理をしようとするが、うまくいかないような状態を指す。会話の終わりの方になると、非言語的なシグナルを絶えず探していてもなかなか見つけられないため、とにかく脳がフルに働き続ける。ぐったりと疲れ果て、底知れぬ不満足感がくすぶる。これがやがて、心の健康をむしばんでいくのだ。

新型コロナウイルス感染症の影響によって、メンタルヘルスの問題はますます広がりと深刻さが増した。この問題で苦しんでいる人はさらに増えた。その中には、パンデミックが起きていなければ、病気から回復していたはずの人も相当数いるだろう。そう考えると、新型コロナウイルス感染症によってメンタルヘルスの問題はリセットされない傾向が強まっていると言えそうだ。とはいえ、メンタルヘルスに関していえば、他の領域でも見られたように今回のパンデミックは以前からある傾向を加速させてきた。それに伴い、この問題の深刻さについて人々の意識も高まった。メンタルヘルス、心の健康はそれだけで、人生への満足度を左右する重要な要素だ。[*156] この問題には以前から、政策決定者も気づいている。ポストパンデミックの時代にはようやくこれが、しかるべき優先問題として扱われるだろう。そこで初めて、重大なリセットが起きるだろう。

3.3 優先順位を変える

このパンデミックがどのように私たちを変える可能性があるか、私たちの考え方や行動にどんな変化をもたらすかについて、ここまででずいぶん多くのことを述べてきた。とはいえ、このパンデミックはまだ始まったばかりで（過去形で語っていいものかどうかいまだに分からない）データや調査も揃っていないため、未来図を想像しようにも、かなり「たら、れば」が多くなる。だとしても、すでに紹介したマクロやミクロの問題と並んで、ありそうないくつかの変化は予測できる。新型コロナウイルス感染症をきっかけに、思いもよらなかった経緯で、一人ひとりが抱えていた心の問題と向き合わざるを得なくなるだろう。危機感やロックダウンがなければじっくり考えることもなかった根源的な疑問を、胸に手を当て、自分に問うようになるかもしれない。そうなると、心のありようがリセットされる。

パンデミックのような私たちの存在を揺るがすような危機は、人々が内に秘めた恐怖や不安と向き合い、自らを省みる機会をもたらす。本当に大切なものは何かを考えないわけにはいかなくなると、人はそれまで考えもしなかったような答えを出すものだ。歴史を振り返ると、新しいタイプの個人や集団が現れるのはたいがい、経済や社会が混乱に陥ったときだ。過去のパンデミックが歴史をがらりと変えた例は、すでに紹介した。逆境のときこそ、新しい技術が進化することが多い。昔から言われているとおり、必要は発明の母だ。新型コロナウイルス感染症でもおそらくこれは当てはまるだろう。多くの人は、仕方なくブレーキを踏み、考える時間を与えられ、「普段の」ペースや慌ただしさから離れた（もちろん見過ごしてはならないことがある。人々を支えているヒーローやヒロインたちだ。医療関係者、食料品やスーパーの店員、それに幼い子どもを世話する親や、かたときも目が離せない高齢者や障害者の介護に携わっている人々である）。パンデミックはゆとりの時間、かつてない静けさ、経験のない孤独感を人々にもたらした。その他にも、自分の本当の姿や、個人や社会としてかけがえのないもの、そして望むものは何かについて、深く考える機会も与えてくれた。この強制的ともいえる集団的反省期間はきっと、人々の行動を変え、それがやがて主義や信条を根本から見直すきっかけとなるだろう。もしかしたらそれが、何を優先するかの順番を変え、日々の生活のさまざまな場面で人々の行動を変えるかもしれない。社会人としてのあり方、家族や友人とのつき合い方、エクササイズ、健康管理、買い物、子どもの教育、それに、世間的な自分の立ち位置も考え直すことになるだろう。そのうち、本質的な疑問が湧いてくるかもしれない。私たちは、大事なことが何か、分かっているのだろうか？　あまりにも自分本位で、自己中心的ではないか？　仕事を大事にしすぎて、他のことをする時間がなくなっていないか？　大量消費主義に振り回されていないか？　考えるゆとりを与えられたおかげで、ポストコロナ時代には以前の答えよりも進化した答えを出せる人も出てくるだろう。

これらの起こり得る変化を、思いつくまま、既成の枠にとらわれず、検討してみよう。その一部は、起こる可能性が高いとはいえないが、一般的に想定されているよりも高い確率で現実のものになると私たちは考えている。

3.3.1 創造性

「試練は人を強くする」とは言い古された言葉だが、フリードリヒ・ニーチェの言ったことは実に的を射ている。パンデミックを生き延びた人が必ず、強くなるわけではない。むしろ現実はほど遠い。だとしても、強くなる人はごくわずかだがいる。そのときは取るに足りないと思えた行動や成果が、後で考えたら非常に大きな影響を与えていることもあるのだ。クリエイティブな発想をすることは役に立つ。ちょうどいい時にしかるべき場所（たとえば、しかるべき業界）にいることもまた役に立つ。具体的に言うと、今後数年間に間違いなく、デジタルやバイオテクノロジーの領域で、スタートアップや新しいベンチャー企業が創造性をのびのびと発揮するだろう。パンデミックをきっかけにこの二つの分野に追い風が吹き、こうした分野にたずさわる、突出してクリエイティブで、ユニークな人々のおかげで、華々しい進歩やイノベーションが次々に起きるはずだ。鼻の効く起業家なら、忙しくなるだろう！

同じことが科学や芸術の分野でも起きそうだ。歴史的に、クリエイティブな人はロックダウンのときにこそ花が開く。たとえばアイザック・ニュートンの才能はペスト流行中に開花した。ケンブリッジ大学が1665年夏にペスト大流行を受けてロックダウンに踏み切ると、ニュートンは実家のあるリンカンシャー州に戻り、そこで1年以上過ごした。この強制自宅隔離の期間は、「驚異の年」と呼ばれた。ニュートンはこのときにクリエイティブな力を存分に発揮して、重力や光学の法則発見に至るアイデアを固めた。とりわけ、重力に関する逆二乗の法則（いわゆる万有引力の法則。家の横にあった木からリンゴが落ちるのを見たニュートンは、地球を回る月にも重力が働いていると気づく）を完成させたのは有名だ。[*157]

同じように監禁状態における創造力の原理は文学でも当てはまり、西洋文化で屈指の名作が生まれた。研究によれば、1593年、ペストの流行でロンドンの劇場が閉鎖され、ウィリアム・シェイクスピアは戯曲ではなく詩を作るようになった。このときに発表された『ヴィーナスとアドーニス』は有名な叙事詩で、美の女神ヴィーナスは少年にキスをせがみ、「危険な年から感染症を駆逐せむことを」願う。数年後、17世紀初頭にロンドンの劇場はまたもや、閉鎖されることが多くなった。腺ペストが流行りだしたからだ。腺ペストによる死者が週に30人を超えたら劇場の公演は中止にすることが、法令で定められていた。1606年にシェイクスピアが多作だったのは、感染症で劇場が軒並み閉鎖され、作品が上演されなかったからだ。たった1年間で『リア王』、『マクベス』、『アントニーとクレオパトラ』を書き上げた。[*158] ロシアの詩人で作家のアレクサンドル・プーシキンも同じような経験をした。1830年、コレラの流行がニジニノヴゴロド州にも広がった。プーシキンが地方を訪ねている間にロックダウンになり、しばらく足止めを食らう。それまで激動の数年間を過ごしていたプーシキンはこのときに肩の力を抜いたら、開放感と幸福感に包まれた。隔離中の3カ月は、生涯でも最も創作意欲にあふれ、書くことに没頭した。最高傑作『エフゲニー・オネーギン』を完成させ、『黒死病の時代の饗宴』など短い作品をいくつも書いた。

ここで、ペストやパンデミックの間に持てる才能をいかんなく発揮した偉人の例をいくつか紹介したが、だからと言って新型コロナウイルス感染症による危機が文化やエンターテイメントの世界に与える壊滅的な経済的影響を過小評価したり、問題をすり替えたりするつもりはない。むしろ、ひと筋の希望の光や、ひらめきのヒントになればと願っている。創造性は、私たちの社会や歴史の至るところにあふれている。また、まさにこの創造性こそが、回復力（レジリエンス）の源となることは、歴史がすでに証明している。

こうしたエピソードは山ほどある。ここで述べたのは普通のリセットとは毛色が違うが、それは驚くことではない。予期せぬことが起きたとき、創造性と創意工夫あふれるアイデアが力を発揮することはよくあるのだ。

3.3.2 時間

2007年に書かれたジョシュア・フェリスによる小説『私たち崖っぷち』(河出書房新社、2011年)で、ある登場人物がこんな感想を語る。「普段より長く感じられる日がある。いつもの1日がまる2日に思える日もある」。このパンデミックが始まってからというもの、世界中が今、こんな感覚を味わっている。時間感覚が変わったのだ。世界各地でロックダウンが行われている間、自宅隔離になって1日がとても長く思えるのに、1週間は驚くほど速く過ぎていくという声がよく聞かれた。ここでもまた、「最前線」にいる人(先に述べた重要な任務に就いている人々)は基本的に除外して考えるが、ロックダウン中、毎日が変わり映えしないと感じていた人が大勢いた。昨日も今日も明日もほぼ同じで、仕事のある日と週末の差がほとんどない。まるで、時が姿の定まらないアメーバのようになり、とめどなく流れていくようで、どんな節目も普通の時間感覚も失われた。経緯はまったく違うが、これと似た経験をしているのが囚人だ。これ以上ないくらい厳しく、極端なやり方で監禁された囚人も、こう言う。「1日はのろのろと過ぎるのに、ある朝気づいたら1カ月が経っていることに気づき、こう思う『時間はいったいどこに行ってしまったんだ?』」。ロシアの革命家ヴィクトル・セルジュは生涯に何度も投獄されたが、同じことを言った。「速く過ぎる1時間もあれば、とても長い1秒間もある」[*159]。こう考えるようになった人は、時間とのつきあい方を見直すだろうか？　その貴重さにあらためて気づき、もう無駄にすまいと決心するだろうか？

現代は、超のつくスピード至上の時代だ。何もかもが昔よりも速い。テクノロジーによって「急ぐ文化」が生まれたからだ。この「リアルタイム」な社会では、何でもすぐに出てくることが求められ、期待されている。いつも時間に追われ、生活のペースがどんどん速くなっているという意識がつきまとう。ロックダウンを経験すると、これが変わるのか？　ポストコロナ時代の「ジャスト・イン・タイム」のサプライチェーンがしそうなこと、つまり、スピードアップよりも回復力（レジリエンス）と心の平安を大切にするという変化を、一人ひとりが経験するのか？　心の回復力を優先したら、いやおうなしにペースを落とし、「今、ここ」を生きられるようになるのか？　たぶんそうなる。これは新型コロナウイルス感染症、そしてロックダウンがもたらした思いがけない良いことの一つかもしれない。そのおかげで、人々は人生の大切な節目をより意識し、敏感に反応するようになった。たとえば、友人や家族との貴重なひととき、四季や自然の変化、ちょっとした時間の余裕がないとできない、暮らしを豊かにするとりとめもないこと（知らない人に話しかける、鳥の声に耳を傾ける、芸術作品を鑑賞する）など。時間についてのリセットはこうなる。アフターコロナの世界では、人々は今までとは違う意味で時間を大切にし、より大きな幸福感が得られることのために時間を割こうとする[*160]。

3.3.3 消費

パンデミックが広まって以来、この感染症が人々の消費パターンに及ぼす影響について、多くの報道や分析がなされてきた。そのほとんどが、ポストコロナ時代には、自分の選択や習慣がどういった結果を招くかを以前よりも意識し、一部の消費行動は控えようとするだろうと述べている。これとは対照的に、「リベンジ消費」を予測するアナリストもいる。ロックダウンが終わったとたんに、やたらと買い物をするという行動だ。アニマルスピリットが勢いよくよみがえり、パンデミック前には当たり前だった状況に戻ると予測する。リベンジ消費は実際にはまだ起きていない。自己抑制という心理が先に働いたら、まったく起きないかもしれない。

この仮説を裏付ける根拠は、本書の環境に関するリセットの項で取り上げたものと同じだ。このパンデミックは、地球環境の悪化と気候変動に関するリスクの深刻さについて、世の中全体の目を覚まさせる強烈なカンフル剤となったからである。

格差への意識と差し迫った懸念が高まったところに、社会不安の脅威が現実に存在し、しかも早急に、身近なところまで迫っていることにも気づくと、同じことが起きる。ティッピングポイントに達したら、社会の二極化によって社会契約が効力を発揮しなくなり、資産を狙った反社会的な

（犯罪的ですらある）行動も増えていく。すると、消費パターンは変わらざるを得なくなるはずだ。それはどのように展開するだろう？　派手な消費はすたれるだろう。いち早く最新のもの、何であれ「最新モデル」を手に入れるのは、もはや、ステイタスシンボルではなくなる。それどころか良くて世間知らず、悪ければとことん嫌味だと思われる。身分や階級をアピールする行動にも異変が起きる。高価な「モノ」を買い、それをひけらかして自分をアピールすることはとにかく時代遅れになるだろう。簡単に言うと、失業や手のつけようのない格差、環境への懸念に悩まされるポストコロナの世界では、富をこれみよがしに誇示する行動はもはや受け入れられないのだ。

今後の姿勢については、日本をはじめ、一部の国々から学べるかもしれない。（本書のマクロの項で述べたように）エコノミストはしきりに、世界経済が今後、日本化（ジャパニフィケーション）することを懸念する。しかしそれ以上に、消費に関して今後どうあるべきかを考えるヒントとなる、明るい日本化のシナリオもたくさんある。日本の特徴は二つあり、その二つは密接に絡み合っている。一つは、日本は豊かな国々の中でも社会格差が小さいこと。もう一つは、１９８０年代の後半に投機バブルが崩壊して以来、派手な消費の割合が世界でもかなり突出して低いことだ。現在では、（「こんまり」こと、近藤麻理恵による番組で広まった）厳選して少ないモノを所有するメリット、一生をかけた人生の意義や目的（「生きがい」）探し、自然の大切さや森林浴の習慣などが、世界各国で真似されている。こういったことはすべて、消費主義的社会に比べ、もっと「質素な」日本的ライフスタイルを取り入れているにもかかわらず、認められているのだ。北欧の国々でも似たような現象が見られ、派手な消費はばかにされるし、押さえつけられる。だからといって、人々の幸福が奪われているわけではない。むしろ、その逆だ。[*161] 心理学者や行動経済学者がしきりに言うように、大量消費をしても幸福になるとは限らない。これもまた、個人レベルでのリセットになるだろう。つまり、派手な消費や大量消費は人にも地球にもプラスにはならない。そうすることで得る気づき、人としての達成感や満足感は、とめどない消費からは生まれない。おそらくはその逆なのである。

3.3.4 大自然と心身の健康

このパンデミックによって、混乱と不透明感が渦巻いている時にどうやって不安や恐れをコントロールするかをリアルタイムに練習できた。その経験から明確に学んだことは、自然環境が、現代人が悩まされている疾病のほとんどにとてもよく効く解毒剤であるということだ。それが間違いないことを裏付ける最新の研究はふんだんにある。神経科学者、心理学者、医師、生物学者、微生物学者、それに身体能力の専門家、エコノミスト、社会科学者、みな口を揃えて、自然が人を良い気分にし、心と体の痛みを和らげ、心や体の健康についてこれだけ多くのメリットをもたらす理由を、それぞれの専門分野で述べている。反対に、自然の豊かさや多様性、野生の生き物や森林、動物や植物などから遠く離れると、人間の心や体、日々の感情や、心の健康に悪影響が及ぶことも、専門家は実例を挙げて説明している。[*162]

新型コロナウイルス感染症や健康の専門家がことあるごとに呼びかけている「毎日ウォーキングや運動をして健康を保て」というアドバイスは、この発想に支えられている。また、ロックダウンの間、都市で暮らす人々がどれだけ森林や公園、庭、あるいはたとえ1本の木でもいいから自然環境を求めていたか、数えきれないほどの証言もある。フランスのように世界でも指折りに厳しいロックダウン体制をとっていた国ですら、保健当局は毎日少しでもいいから外で過ごすべきだと主張していた。ポストコロナの時代には、暮らしの中で自然が果たす役割がどれだけ大切で欠かせないかを無視する人はほとんどいなくなるだろう。パンデミックによって、この意識がよりいっそう広まった（今や世界中のほぼ全員がそのことを分かっている）。そうなると、地球全体の環境保護や、環境に配慮した生産や消費へのニーズについて先に述べたマクロポイントを、一人ひとりが今までよりも深く、身近に感じられるようになる。人々はようやく気づいた。自然、それに自然環境に必ず備わっている生物多様性に接していなければ、心と体の健康は深刻なダメージを受けるのだ。

パンデミックの間ずっと、ソーシャルディスタンシング、手洗いやマスクの着用（さらに感染リスクの高い人々のための自主隔離）といったルールが、新型コロナウイルス感染症から身を守るための標準ツールだと人々は覚えさせられた。ただしこの他に、自然との接触が多ければ多いほど生じやすい二つの要素もまた、ウイルスに対する人々の体の回復力（レジリエンス）に重要な役割を果たしている。その二つとは、免疫力と炎症だ。どちらも人体を守る働きがあるが、免疫力は年齢と共に落ち、炎症は年齢と共に増えていく。ウイルスへの抵抗力を高めるには、免疫力を上げ、炎症を抑えなければならない。このシナリオで、自然環境はどのような役割を果たすのか？　主役である自然の裏で働く科学的メカニズムを説明しよう。体がいつも低レベルの炎症を起こしていると、心血管の不調やうつ病、それに、免疫力の低下など、ありとあらゆる病気や不調が起きやすくなる。このような慢性炎症は、都市部、都会の環境や工業地帯に住む人々でより一般的にみられる。今では自然とのふれあいが減ると炎症も悪化しやすいことが証明されており、森林の中に2時間いただけで（炎症マーカーである）サイトカインレベルを下げ、炎症を緩和できることがいくつもの研究で示されている。[*163]

こうしたことをふまえて、人々はライフスタイルを選ぶことになる。つまり、自然の中で過ごす時間だけではなく、何を食べるか、どのように睡眠を取るか、そしてどれだけ運動するかを考えねばならない。見通しの明るい選択はいくつもある。高齢だからといって、致死率が高くなるとは限らない。自然と親しみ、食生活に気をつけて運動をすれば生物学的な衰えを遅らせることはできるし、時計の針を戻すことさえできるという研究が多数ある。夢物語などではない。運動、自然環境、加工されていない食品……こうしたものがすべて、免疫力を上げ、炎症を抑えるという、一石二鳥の効果があるのだ。[*164] 先ほど消費の項で述べたポイントと同じだ。これらの新しく見出されたエビデンスはどれも間違いなく、責任ある消費についての意識を世の中に広めることになるだろう。少なくとも、トレンドの方向性ははっきりしているように見える。奪うのではなく、持続可能性を大事にするということである。

個人のリセットの結論はこういうことになる。パンデミックによって人々は、自然の大切さに目を向けるようになった。これからは、地球上の自然という資源をもっと大切にすることがますます重要になっていく。

CONCLUSION

結論

2020年6月。パンデミックが始まってから半年もたたないうちに、世界はすっかり様変わりした。新型コロナウイルス感染症はまたたく間に計り知れない変化を引き起こし、以前から経済や社会に潜んでいた断層が表面に露出した。格差の拡大、不公平感の蔓延、地政学的分断の深刻化、政治の二極化、財政赤字の拡大や巨額の負債、グローバルガバナンスの機能不全あるいは機能停止、行き過ぎた金融化、地球環境の悪化、これらはパンデミックの前からある大きな問題の一部だ。すべての問題が、コロナ危機で悪化している。新型コロナウイルス感染症の発生は、果たして嵐の前ぶれなのだろうか？　激しい変化を次々に引き起こすほどの猛威をふるうのか？　10カ月後の世界なんて誰にも分からない。ましてや10年後の世界など想像もつかない。ただ、これだけは、分かっている。今、行動を起こして社会をリセットしなければ、私たちの未来は深刻なダメージを受ける。ノーベル賞作家ガブリエル・ガルシア・マルケスの『予告された殺人の記録』（新潮社、1997年）では、村人全員が大惨事の予兆に気づいていた。それなのに誰も犯行を防げず、防ごうともしなかったため手遅れになった。その村の轍を踏んではならない。それを避けるには、グレート・リセットに向けてすぐに行動を起こさなければならない。これは、「あれば安心」というものではない。絶対に必要なものだ。社会や経済が抱える根深い問題に対処せず、解決せずに放っておいたら、結局は、戦争や革命のような暴力的な出来事によって社会がリセットされる。それは歴史の証明するところだ。私たちには、勇気を持って難題に立ち向かう責任がある。パンデミックは「社会を省み、考え直し、リセットするという、千載一遇のチャンス」を与えてくれたのだ。[*165]

パンデミックが引き起こした深刻な危機によって、経済や社会がどのように機能し、なぜ機能しないかを考える機会がたっぷりと与えられた。その審判は明確だろう。私たちは変わる必要がある。というより変わるべきなのだ。だが、変われるだろうか？　過去の過ちから学べるのか？　パンデミックをきっかけに、明るい未来が開けるのか？　地球全体に秩序をもたらすことができるのか？　シンプルに言おう。グレート・リセットをやるのか、やらないのか？　リセットは野心的な挑戦だ。野心的過ぎるかもしれない。それでも、やらないという選択肢はない。私たちは全力で取り組み、やり遂げなければならない。肝心なのは、世界の分断をなくし、汚染や破壊活動を減らしながら、パンデミック前の世界よりも寛容で、公平かつ公正な世界を作ることだ。何もしない、あるいは、おざなりなことしかしないのは、日々悪化する社会格差、経済の不均衡、不正や地球環境破壊に向かって、夢遊病者のように歩くのと同じだ。行動を先延ばしにするなら、この世界がますます狭量になり、さらに分断し、ますます危険で自分本位で、地球に住む大多数の人にとってとにかく耐え難い場所になるのを、ただ見ているのと同じだ。もう一度言う。何もしないという選択肢はないのである。

とはいえ、グレート・リセットに誰もが合意しているわけではない。なかにはそんなことに取り組む必要性を認めず、課題の大きさに恐れをなし、状況はそのうち「常態（ノーマル）」に戻るから、危機感もそのうち消える、と楽観視する人もいるだろう。彼らはこんなことを言う。「これまでも、パンデミック、厳しい不況、地政学的分断や社会的緊張など、似たような出来事に襲われても克服してきた。だから今回も克服できるだろう。いつものように社会は立ち直るし、経済活動も再建される。そういうものだ！」。リセットに消極的な人々が挙げる理由がもう一つある。世界の状況はそれほどひどくないのだから、目立つ問題だけをいくつか解決すれば良くなるというのだ。世界の状況は「平均して」昔よりもかなり良い。歴史上、これほど良かったことはないのは認めざるを得ない。国民福祉を評価する主な指標（たとえば貧困層の人口や、紛争による死亡者の数、一人当たりGDP、平均寿命、識字率、それにパンデミックによる死亡者数でさえも）は、ほぼすべてが過去数百年の間にどんどん改善してきた。とくに、過去数十年間は目覚ましい。ただし、こうした数字は「平均して」良くなっているだけだ。つまり統計的な現実であり、自分が平均から外れているように感じている（たいていは実際に外れている）人々には無意味だ。現代社会は昔よりも良くなっているという考えは正しくはあるが、現状に甘んじ、今も人々を苦しめる諸問題に対処せずにいることの言い訳にはならない。

ジョージ・フロイド（2020年5月、アメリカのミネソタ州で警官に殺害されたアフリカ系アメリカ人）の悲劇的な死は、このポイントを鋭く突いている。彼の死はドミノ倒しの最初の駒、あるいは「最後のわら」だった。この事件が、歴史を変えるティッピングポイント（転換点）になり、アメリカ国内のアフリカ系アメリカ人コミュニティで募っていた根強い不公平感が大規模な抗議という形でついに爆発したのである。現代のアフリカ系アメリカ人の社会的地位は昔よりも「平均して」良くなっていると指摘したら、彼らの怒りは収まるだろうか？　もちろん、収まるはずがない！　アフリカ系アメリカ人が問題にしているのは、「今の」社会的状況だ。祖先の多くが奴隷として生きた150年前（アメリカの奴隷制度の廃止は1865年だった）、あるいは白人のアメリカ人との結婚が法律で禁じられていた50年前（異人種間の結婚がようやくすべての州で合法になったのは1967年だ）に比べ、社会的地位がどれだけ「改善したか」ではない。ここには、グレート・リセットに関係する二つのポイントがある。⑴人は統計的データで反応したり動いたりしない。感情や心理、つまり「物語」を聞いて行動するということ。⑵社会的状況が改善し生活水準が高くなると、より良い、ゆとりのある生活への期待も高まることだ。

2020年6月に起きた社会的抗議活動を見れば、グレート・リセットに早急に着手すべきことが分かる。疫学的リスク（新型コロナウイルス感染症）と社会的リスク（抗議活動）がつながって、次のことが世の中にはっきりと示された。現代社会では、リスクや問題、課題、機会さえも相互に接続された社会システムが中心となり、未来への道を決めている。パンデミックの初期の数カ月間は、新型コロナウイルス感染症の疫学的性質や健康への影響に注目が集まったのは当然だった。しかし、今後、最も重要な問題は、パンデミックが引き起こした経済的、地政学的、社会的、環境的、技術的リスクがつながり合った結果と、それが企業や個人に及ぼし続ける影響にある。

莫大な数の感染者、それにその家族やコミュニティにとって、新型コロナウイルス感染症は一人ひとりを襲う大災害であることは間違いない。ただしグローバルな視点で見て、世界人口における影響を受けた人数の割合から言うと、コロナ危機は(今のところ)2000年の歴史を振り返っても、致死率が最も低いパンデミックである。予測外の展開でパンデミックが広がらない限り、新型コロナウイルスがもたらす健康被害や死亡率は、過去のパンデミックと比べて軽いだろう。2020年6月末時点で(その時、ラテンアメリカ、南アジア、それにアメリカの大部分で流行し、猛威を奮っていた)、新型コロナウイルス感染症による死亡者は世界の人口の0・006%にも満たなかった。これと他の疫病の死亡率と比べてみると、スペイン風邪の死亡者が世界人口に占める割合が2・7%、エイズの死亡者数になると0・6%(1981年から現在までの合計)だ。ユスティニアヌス一世の時代、西暦541年に流行し始めたペストでは、750年にようやく収束するまでにビザンチン帝国の人口の約3分の1の人が死んだと多くの資料に残されている。また、黒死病(1347年~1351年)では当時、世界人口の30%から40%の人が死んだとも言われている。新型コロナのパンデミックはこれらとは違う。人間の存在を脅かす脅威もなければ、この先何十年も世界中の人々の記憶に刻まれるような衝撃に襲われることもない。ただし、本書でこれまでに述べたすべての理由から、先行きに対する懸念はつきまとう。相互に依存している現代社会では、リスクはつながり合い、互いに影響を増幅し、さらに悪い結果をもたらす。これから何が起きるかはまったく分からないが、ポストコロナの世界では、公正さが前面に出てくることは間違いない。公正さが問われる問題は多岐にわたる。大多数の人々の実質所得の停滞から、社会契約の見直しに至るまでさまざまだ。同様に、環境への深い懸念や、テクノロジーの今後の展開やそれを公益のためにどのように管理すべきかという問題が、われわれの社会の課題（アジェンダ）に新たに加わる。こうした問題はどれも、パンデミックの起きる前からあった。それが、新型コロナウイルス感染症によって白日のもとにさらされ、世間の注目を浴びて問題も大きくなった。トレンドの方向性は変わっていないが、新型コロナウイルス感染症がその流れを加速したのである。

適切にリセットするために不可欠なのは、国家間の協調や協力を強めることだ。協力とは「最も人間らしい認知能力」であり、人間が進化の過程で他の動物と一線を画して独自の道を歩むことができたのはこの能力のおかげだ。「志向性の共有」、つまり共通の目標に向けて一緒に行動すること[*166]で、これがなければ、人類の進歩はまずない。ポストコロナ時代は、多少は協力的になるだろうか？明日にでも分断がさらに深まり、国家主義的になり、紛争が起こるという極めて現実的なリスクがある。マクロリセットの項でも述べたように、これから社会はパンデミック前よりもオープンでも協力的でもなくなるかもしれない。それでも別のシナリオがあり得る。コミュニティの中での集団的行動や、国家間の協力がさらに進めば、コロナ危機からの出口がもっと早く、平和的に見つかるだろう。経済を再開するときに、より広範な社会的平等と持続可能性を折り込むチャンスがある。2030年の持続可能な開発目標（SDGs）に向けた進展を遅らせるのではなくむしろ加速させて、新たな繁栄の時代の扉を開くことができる。[*167] それにはどうすればよいのだろう。何をすれば、そのような世界が実現する確率が高まるのだろうか？

コロナ危機によって私たちの失敗があらわになり、断層の存在も明らかになった。私たちは否応なく、失敗したアイデア、制度、手続きやルールを、現在やこれからのニーズに合わせて早急に刷新しなければならない。これが、グレート・リセットの大原則だ。パンデミックというグローバルな体験を共有したことで、危機と共に見えてきた諸問題に少しでも歯止めをかけられるだろうか？ ロックダウン後に、よりよい社会が姿を現すだろうか？ ノーベル経済学賞を受賞したアマルティア・センはこう述べている。「団結が必要になると必ず、公的行動（パブリックアクション）の建設的な役割が重んじられるようになる」。[*168] それを裏付ける具体例として、第二次世界大戦後の人々が国際協力の重要性に気づいたこと、イギリスのような国では、食糧品の配給や医療に注目するようになったことなどを挙げた（それが福祉国家の成立につながった）。『大変動：危機と変化に国家はどう対処すべきか』の著者、ジャレド・ダイアモンドも同じような意見だ。コロナ危機をきっかけに、人類の存在を脅かす四つのグローバルな危機に対処するようになればいいという。その四つとは、(1)核の脅威、(2)気候変動、(3)森林、海産物、表土、水といった生命に欠かせない資源の浪費、(4)世界中に広まった生活水準の格差だ。「妙な感じがするかもしれないが、パンデミック危機をうまく解決すると、今まで手をつけられずにいたこうしたより大きな問題を解決しようという気になるかもしれない。もし人々がパンデミックによって、存在を脅かすこうした脅威に取り組む気になるなら、ウイルスという暗雲のすきまから希望の光が漏れているということだ。このウイルスはいろいろなことをもたらしたが、これこそ何よりも大きく、何よりも長続きし、私たちにとって希望の糧となるだろう[*169]」

こうした希望には、どれもさまざまな調査の裏付けがある。その調査によると、人類全体が変化を強く望んでいるというのが結論だ。イギリスの世論調査によると、経済が再開したら、その抜本的刷新を望む人が大多数で、元どおりに戻ることを望む人は全体の4分の1しかいない[*170]。また、国際的な調査では、世界の大多数が、コロナ危機後の経済復興では気候変動の問題を優先し[*171]、グリーンリカバリーを支持するという結果が出ている[(*172)]。世界各地で「よりよい未来」を求める運動や、GDPの成長よりも人類全体の健やかな生活を優先させる経済システムへの移行を求める声が高まっているのである。

＊＊＊＊＊

私たちはいま、岐路に立っている。一方の道の果てには、よりよい世界がある。より寛容で、より公平で、母なる自然に対してより畏敬の念を抱くような世界だ。もう一方の道は、ついこの前やっとの思いで脱出してきた世界に逆戻りする道だ。それだけではない。その先にあるのは、前よりももっとひどい、不快な驚きが次から次に襲ってくるような世界だ。だからこそ、われわれは正しい道を選択しなければならない。迫り来る難問の数々は、これまで誰もが想像しなかったような重大な結果をもたらすかもしれない。しかし同時に、われわれは世界をもう一度リセットする力を、これまで考えもしなかった規模で結集することもできるのだ。

謝辞

まず、マリー・アン・マルレに感謝したい。私たちが原稿を執筆するにあたって、計り知れない貴重なサポートを惜しまなかった。それに彼女の「ペンの力」で、文章全体のスタイルも大きく改善された。次にヒルデ・シュワブにも感謝する。彼女は、批評眼をもった最も身近な読者であり続けてくれた。また、厳しい時間的制約の中、調査を手伝ってくれたマンスリー・バロメーターのカミーユ・マルタンや、細部への目配りを怠らず、入念に編集してくれたファビエンヌ・スタッセンにも謝意を表したい。

さらに世界経済フォーラムの多くの同僚にも感謝する。サンフランシスコ、ニューヨーク、ジュネーブ、北京と東京の各支部で本書を読み、レビューし、フォーマットし、デザインして、出版やプロモーションを担当してくれた各メンバー、また経済、社会、テクノロジー、公衆衛生、公共政策の各分野で多くの知見と助言を提供してくれた専門家の人々だ。とくに、会長室のケリー・オムンゼンとピーター・バンハムには、ここに名を記して感謝の意を伝えたい。

最後になるが、世界中から世界経済フォーラムに集う、さまざまなバックグラウンドをもつ人々にも感謝する。世界が直面しているここ１００年で最悪の公衆衛生上の危機に対峙するさまざまな方法や、今後の影響を緩和する多様な有益情報をバランス良く、タイムリーにまとめることに成功しているとすれば、それはそうした人々のフィードバックがあったからこそである。

クラウス・シュワブ、ティエリ・マルレ
２０２０年７月、ジュネーブにて

訳者あとがき

私たちが「新型コロナウイルス」という言葉を聞いたのは2020年1月、ちょうど中国が春節の休みに入ろうとしていたころだったろうか。中国の武漢で原因不明の疫病が流行し、病院が逼迫しているという話だった。武漢は早くから封鎖され、やがて欧米でもイタリアから始まってあちらこちらでロックダウン（都市封鎖）が実行に移された。それでも感染者は膨大な数に上り、死亡者も急増していたが、日本では緊急事態宣言こそ発出されたものの、あくまでも自粛であり、レストランなどへの「補償」も「協力金」と呼ばれた。

自粛ベースでも、私たちの生活は大きく変わった。まずは人と会う機会が激減した。スマホやパソコンを介するビデオ会議の機会があっという間に増えた。マスクをつけるのが当たり前になり、つけないで街中に出たり、スーパーに買い物に行ったりするのがはばかられるようになった。

そして、たくさんの人が職を失った。中には、毎日、同じ職場に出勤して働いているのに、「日雇い」と同じ扱いだったことが判明して愕然とした人もいるという。アルバイトで学費を稼いでいた大学生が、収入の道を絶たれて退学しているという報道もあった。その一方で、食事の宅配が急増している。街では宅配業者のロゴを背負ったバイクや自転車が走り回っている。若者が、これらの仕事をギグワーカーとしてこなしているのだ。

こうした動きの中で、社会を回す仕事に従事する人々は、感染リスクを警戒しながら現場に出かけて働いている。彼ら、彼女らをエッセンシャルワーカーと呼び、感謝すべきだとする人々も多い。しかし、では彼ら、彼女らが、その呼び名にふさわしい待遇を受けているのかというと、それはまったく話が別だ。分かりやすい例でいえば、新型コロナウイルス感染症で病院の収入が減ったからといって、看護師の処遇を切り下げたという話もあった。ゴミ収集に従事する人たちに特別手当を出そうなどという話は聞いたことがない。

大企業を中心にテレワークが導入され、多くの人が通勤地獄から解放された。パンデミックが収まっても、テレワークは残りそうだ。中には、早くも東京近郊から脱出して、豊かな自然に安心と安全を求めた人もいる。ただ社会には常に元に戻ろうとする力も働いている。たとえば、ジョブ型雇用と言っても、ジョブの内容をきちんと決められなければ成り立たない。しかし日本の社会に根付いている終身雇用とか年功序列を揺るがすだけに、そう簡単に仕事の在り方は変わらない。

しかし日本もおそらく変わらねばならないことがある。持続可能なエネルギー、消費、移動手段、医療・介護を目指す必要があるだろう。それなくして、より安全で安心できる社会を構築することはできないからだ。社会がその方向に向かうのに、本書が役に立てば幸いだ。

今回の翻訳に当たっては、一刻も早く読者の皆さんに届けるために、チームで仕事をすることにした。チームを構成したのは私が信頼する人々だ。チャールズ清水さん、安納令奈さん、前濱暁子さん、いずれも長年の付き合いがある友人だ。清水さんにはさらに4人のチームを率いてもらった。石塚嘉一さん、十山圭介さん、門阪彩乃さん、清水万里合さん、ここにお名前を記して感謝の意を表したい。世界経済フォーラムの栃林直子さん、日経ナショナル ジオグラフィック社の尾崎憲和さんにも大変お世話になった。改めて感謝申し上げたい。

2020年8月 残暑厳しき日に

藤田正美

161 Helliwell, John F., Richard Layard, Jeffrey Sachs and Jan-Emmanuel De Neve (eds), *World Happiness Report 2020*, Sustainable Development Solutions Network, 2020, https://happiness-report.s3.amazonaws.com/2020/WHR20.pdf.

162 This research is summed up in Jones, Lucy, *Losing Eden: Why Our Minds Need the Wild*, Allen Lane, 2020.

163 Im, Su Geun, et al., "Comparison of Effect of Two-Hour Exposure to Forest and Urban Environments on Cytokine, Anti-Oxidant, and Stress Levels in Young Adults", *International Journal of Environmental Research and Public Health*, vol. 13, no. 7, 2016, https://www.ncbi.nlm.nih.gov/pmc/articles/PMC4962166.

164 Nieman, David C. and Laurel M. Wentz, "The compelling link between physical activity and the body's defense system", *Journal of Sport and Health Science*, vol. 8, No. 3, 2019, pp. 201-217, https://www.sciencedirect.com/science/article/pii/S2095254618301005.

165 Klaus Schwab on 3 March 2020; see also World Economic Forum, "The Great Reset", 3 June 2020, https://www.facebook.com/worldeconomicforum/videos/189569908956561.

166 McGowan, Kat, "Cooperation Is What Makes Us Human", *Nautilus*, 29 April 2013, http://nautil.us/issue/1/what-makes-you-so-special/cooperation-is-what-makes-us-human.

167 Cleary, Seán, "Rebuild after the crisis on three pillars: Equity, security and sustainability", G20 Insights, Policy Brief, 29 May 2020, https://www.g20-insights.org/policy_briefs/rebuild-after-the-crisis-on-three-pillars-equity-security-and-sustainability.

168 Sen, Amartya, "A better society can emerge from the lockdowns", *Financial Times*, 15 April 2020, https://www.ft.com/content/5b41ffc2-7e5e-11ea-b0fb-13524ae1056b.

169 Diamond, Jared, "Lessons from a pandemic", *Financial Times*, 27 May 2020, https://www.ft.com/content/71ed9f88-9f5b-11ea-b65d-489c67b0d85d.

170 Harvey, Fiona, "Britons want quality of life indicators to take priority over economy", *The Guardian*, 10 May 2020, https://www.theguardian.com/society/2020/may/10/britons-want-quality-of-life-indicators-priority-over-economy-coronavirus.

171 Gray, Emily and Chris Jackson, "Two thirds of citizens around the world agree climate change is as serious a crisis as Coronavirus", Ipsos, 22 April 2020, https://www.ipsos.com/en/two-thirds-citizens-around-world-agree-climate-change-serious-crisis-coronavirus.

172 World Economic Forum, *COVID-19 Risks Outlook: A Preliminary Mapping and Its Implications*, Insight Report, May 2020, http://www3.weforum.org/docs/WEF_COVID_19_Risks_Outlook_Special_Edition_Pages.pdf.

145 Case, Anne and Angus Deaton, *Deaths of Despair and the Future of Capitalism*, Princeton University Press, 2020, https://press.princeton.edu/books/hardcover/9780691190785/deaths-of-despair-and-the-future-of-capitalism.

146 Friedman, Thomas L., "Finding the 'Common Good' in a Pandemic", *The New York Times*, 24 March 2020, https://www.nytimes.com/2020/03/24/opinion/covid-ethics-politics.html.

147 Facebook, "Knowledge Capsules: Lockdown or no lockdown", 26 April 2020, https://m.facebook.com/KnowledgeCapsules1/posts/2374859852804537.

148 Bazelon, Emily, "Restarting America Means People Will Die. So When Do We Do It?", *The New York Times Magazine*, 10 April 2020, https://www.nytimes.com/2020/04/10/magazine/coronavirus-economy-debate.html.

149 Twenge, Jean, "New study shows staggering effect of coronavirus pandemic on America's mental health", *The Conversation*, 7 May 2020, https://theconversation.com/new-study-shows-staggering-effect-of-coronavirus-pandemic-on-americas-mental-health-137944.

150 Tucci, Veronica and Nidal Moukaddam, "We are the hollow men: The worldwide epidemic of mental illness, psychiatric and behavioral emergencies, and its impact on patients and providers", *Journal of Emergencies, Trauma, and Shock*, vol. 10, no. 1, 2017, pp. 4-6, https://www.ncbi.nlm.nih.gov/pmc/articles/PMC5316796.

151 Health and Safety Executive (HSE), "Work related stress depression or anxiety statistics in Great Britain, 2018", Annual Statistics, 31 October 2018, http://greeningconsultants.co.uk/wp-content/uploads/2019/03/HSE-Stats-2018.pdf.

152 Bechtel, Robert B. and Amy Berning, "The Third-Quarter Phenomenon: Do People Experience Discomfort After Stress Has Passed?", in A.A. Harrison, Y.A. Clearwater and C.P. McKay (eds), *From Antarctica to Outer Space*, Springer, 1991, https://link.springer.com/chapter/10.1007/978-1-4612-3012-0_24.

153 Brooks, Samantha K., et al., "The psychological impact of quarantine and how to reduce it: rapid review of the evidence", *The Lancet*, vol. 395, no. 10227, 14-20 March 2020, pp. 912-920, https://www.sciencedirect.com/science/article/pii/S0140673620304608.

154 Campbell, Denis, "UK lockdown causing 'serious mental illness in first-time patients'", *The Guardian*, 15 May 2020, https://amp-theguardian-com.cdn.ampproject.org/c/s/amp.theguardian.com/society/2020/may/16/uk-lockdown-causing-serious-mental-illness-in-first-time-patients.

155 United Nations Population Fund (UNFPA), "Impact of the COVID-19 Pandemic on Family Planning and Ending Gender-based Violence, Female Genital Mutilation and Child Marriage", Interim Technical Note, 27 April 2020, https://www.unfpa.org/sites/default/files/resource-pdf/COVID-19_impact_brief_for_UNFPA_24_April_2020_1.pdf.

156 Layard, Richard, "A New Priority for Mental Health", Paper EA035, Centre for Economic Performance, London School of Economics and Political Science, May 2015, http://cep.lse.ac.uk/pubs/download/ea035.pdf.

157 Falk, Dan, "Must We All Become More Creative because of the Pandemic?", *Scientific American*, 29 March 2020, https://blogs.scientificamerican.com/observations/must-we-all-become-more-creative-because-of-the-pandemic.

158 Pollack-Pelzner, Daniel, "Shakespeare Wrote His Best Works During a Plague", *The Atlantic*, 14 March 2020, https://www.theatlantic.com/culture/archive/2020/03/broadway-shutdown-could-be-good-theater-coronavirus/607993.

159 Freedland, Jonathan, "Adjust your clocks: lockdown is bending time completely out of shape", *The Guardian*, 24 April 2020, https://www.theguardian.com/commentisfree/2020/apr/24/lockdown-time-coronavirus-prisoners.

160 Whillans, Ashley, "Time for Happiness", *Harvard Business Review*, January 2019, https://hbr.org/cover-story/2019/01/time-for-happiness.

127 Harari, Yuval Noah, "The world after coronavirus", *Financial Times*, 20 March 2020, https://www.ft.com/content/19d90308-6858-11ea-a3c9-1fe6fedcca75.

128 同書

129 Morozov, Evgeny, "The tech 'solutions' for coronavirus take the surveillance state to the next level", *The Guardian*, 25 April 2020, https://www.theguardian.com/commentisfree/2020/apr/15/tech-coronavirus-surveilance-state-digital-disrupt.

130 Thornhill, John, "How Covid-19 is accelerating the shift from transport to teleport", *Financial Times*, 30 March 2020, https://www.ft.com/content/050ea832-7268-11ea-95fe-fcd274e920ca.

131 Sneader, Kevin and Shubham Singhal, "From thinking about the next normal to making it work: What to stop, start, and accelerate", McKinsey & Company, 15 May 2020, https://www.mckinsey.com/featured-insights/leadership/from-thinking-about-the-next-normal-to-making-it-work-what-to-stop-start-and-accelerate#.

132 This anecdote appears in the article by Kulish, Nicholas, et al., "The U.S. Tried to Build a New Fleet of Ventilators. The Mission Failed", *The New York Times*, 20 April 2020 update, https://www.nytimes.com/2020/03/29/business/coronavirus-us-ventilator-shortage.html.

133 BlackRock, *Sustainable investing: resilience amid uncertainty*, 2020, https://www.blackrock.com/corporate/literature/investor-education/sustainable-investing-resilience.pdf.

134 Tett, Gillian, "Business faces stern test on ESG amid calls to 'build back better'", *Financial Times*, 18 May 2020, https://www.ft.com/content/e97803b6-8eb4-11ea-af59-5283fc4c0cb0.

135 Strine, Leo and Dorothy Lund, "How to restore strength and fairness to our economy" reproduced in "How Business Should Change After the Coronavirus Crisis", *The New York Times*, 10 April 2020, https://www.nytimes.com/2020/04/10/business/dealbook/coronavirus-corporate-governance.html.

136 Schwab, Klaus, "Covid-19 is a litmus test for stakeholder capitalism", *Financial Times*, 25 March 2020, https://www.ft.com/content/234d8fd6-6e29-11ea-89df-41bea055720b.

137 Merchant, Brian, "Google Says It Will Not Build Custom A.I. for Oil and Gas Extraction", OneZero, 19 May 2020, https://onezero.medium.com/google-says-it-will-not-build-custom-a-i-for-oil-and-gas-extraction-72d1f71f42c8.

138 Baird-Remba, Rebecca, "How the Pandemic Is Driving Labor Activism Among Essential Workers", Commercial Observer, 11 May 2020, https://commercialobserver.com/2020/05/how-the-pandemic-is-driving-labor-activism-among-essential-workers.

139 Hamilton, Gabrielle, "My Restaurant Was My Life for 20 Years. Does the World Need It Anymore?", *The New York Times Magazine*, 26 April 2020 update, https://www.nytimes.com/2020/04/23/magazine/closing-prune-restaurant-covid.html.

140 Taparia, Hans, "The Future of College Is Online, and It's Cheaper", *The New York Times*, 25 May 2020, https://www.nytimes.com/2020/05/25/opinion/online-college-coronavirus.html.

141 Hess, Amanda, "Celebrity Culture Is Burning", *The New York Times*, 30 March 2020, https://www.nytimes.com/2020/03/30/arts/virus-celebrities.html.

142 Barry, John, *The Great Influenza: The Story of the Deadliest Pandemic in History*, Penguin Books, 2005.

143 Kruglanski, Arie, "3 ways the coronavirus pandemic is changing who we are", *The Conversation*, 20 March 2020, https://theconversation.com/3-ways-the-coronavirus-pandemic-is-changing-who-we-are-133876.

144 Pamuk, Orhan, "What the Great Pandemic Novels Teach Us", *The New York Times*, 23 April 2020, https://www.nytimes.com/2020/04/23/opinion/sunday/coronavirus-orhan-pamuk.html.

109 International Energy Agency (IEA), *Global Energy Review 2020*, April 2020, https://www.iea.org/reports/global-energy-review-2020.

110 United Nations Environment Programme (UNEP), *Emissions Gap Report 2019*, 2019, https://www.unenvironment.org/interactive/emissions-gap-report/2019.

111 S&P Global and RobecoSAM, *The Sustainability Yearbook 2020*, 2020, https://www.robeco.com/docm/docu-robecosam-sustainability-yearbook-2020.pdf.

112 International Energy Agency (IEA), "How clean energy transitions can help kick-start economies", 23 April 2020, https://www.iea.org/commentaries/how-clean-energy-transitions-can-help-kick-start-economies.

113 Hook, Leslie and Aleksandra Wisniewska, "How coronavirus stalled climate change momentum", *Financial Times*, 14 April 2020, https://www.ft.com/content/052923d2-78c2-11ea-af44-daa3def9ae03.

114 Chenoweth, Erica, et al., "The global pandemic has spawned new forms of activism – and they're flourishing", *The Guardian*, 20 April 2020, https://www.theguardian.com/commentisfree/2020/apr/20/the-global-pandemic-has-spawned-new-forms-of-activism-and-theyre-flourishing.

115 KSTP, "BP takes $17.5B hit as pandemic accelerates emissions cuts", 15 June 2020, https://kstp.com/business/bp-takes-over-17-billion-dollar-hit-as-coronavirus-pandemic-accelerates-emissions-cuts/5760005/; Hurst, Laura, "Supermajors find obstacles, and opportunities, as pandemic drags on", World Oil, 16 June 2020, https://www.worldoil.com/news/2020/6/16/supermajors-find-obstacles-and-opportunities-as-pandemic-drags-on.

116 European Commission, "A European Green Deal", https://ec.europa.eu/info/strategy/priorities-2019-2024/european-green-deal_en.

117 Gray, Emily and Chris Jackson, "Two thirds of citizens around the world agree climate change is as serious a crisis as Coronavirus", Ipsos, 22 April 2020, https://www.ipsos.com/en/two-thirds-citizens-around-world-agree-climate-change-serious-crisis-coronavirus.

118 World Economic Forum, *COVID-19 Risks Outlook: A Preliminary Mapping and Its Implications*, Insight Report, May 2020, http://www3.weforum.org/docs/WEF_COVID_19_Risks_Outlook_Special_Edition_Pages.pdf.

119 Se-jeong, Kim, "Seoul City to implement 'Green New Deal' to mitigate pandemic fallout", *The Korea Times*, 4 June 2020 update, https://www.koreatimes.co.kr/www/nation/2020/06/281_290628.html.

120 Systemiq and World Economic Forum, "Building a Nature-Positive Future – Recommendations for Policy-makers to Reset the Economy through the Power of Natural Capital", July 2020.

121 Klaus Schwab, *The Fourth Industrial Revolution*, World Economic Forum, 2016, p. 9.

122 Both quoted in Waters, Richard, "Lockdown has brought the digital future forward – but will we slip back?", *Financial Times*, 1 May 2020, https://www.ft.com/content/f1bf5ba5-1029-4252-9150-b4440478a2e7.

123 Frey, Carl Benedikt and Michael A. Osborne, "The future of employment: How susceptible are jobs to computerisation?", *Technological Forecasting and Social Change*, vol. 114, January 2017, pp. 254-280, https://www.sciencedirect.com/science/article/pii/S0040162516302244.

124 Heric, Michael, et al., "Intelligent Automation: Getting Employees to Embrace the Bots", Bain & Company, 8 April 2020, https://www.bain.com/insights/intelligent-automation-getting-employees-embrace-bots.

125 Chotiner, Isaac, "The Coronavirus and the Future of Big Tech", *The New Yorker*, 29 April 2020, https://www.newyorker.com/news/q-and-a/the-coronavirus-and-the-future-of-big-tech.

126 Holmes, Oliver, et al., "Coronavirus mass surveillance could be here to stay, experts say", *The Guardian*, 18 June 2020, https://www.theguardian.com/world/2020/jun/18/coronavirus-mass-surveillance-could-be-here-to-stay-tracking.

91 Lee Hsien Loong, "The Endangered Asian Century", *Foreign Affairs*, July/August 2020, https://www.foreignaffairs.com/articles/asia/2020-06-04/lee-hsien-loong-endangered-asian-century.

92 Fedrizzi, Alessandro and Massimiliano Proietti, "Quantum physics: our study suggests objective reality doesn't exist", *The Conversation*, 14 November 2019, https://theconversation.com/quantum-physics-our-study-suggests-objective-reality-doesnt-exist-126805.

93 Jiaming, Li, "Every move to stigmatize China evokes our historical memory", *Global Times*, 19 April 2020, https://www.globaltimes.cn/content/1186037.shtml.

94 Bill of Rights Institute, "Founding Principles and Virtues", n.d., https://billofrightsinstitute.org/founding-documents/founding-principles.

95 Nye Jr, Joseph S., "No, the Coronavirus Will Not Change the Global Order", *Foreign Policy*,16 April 2020, https://foreignpolicy.com/2020/04/16/coronavirus-pandemic-china-united-states-power-competition

96 Mahbubani's latest book, *Has China Won? The Chinese Challenge to American Primacy*, PublicAffairs, came out in March 2020, in the midst of the health crisis.

97 Mahbubani, Kishore, "How China could win over the post-coronavirus world and leave the U.S. behind", MarketWatch, 18 April 14, 2020, https://www.marketwatch.com/story/how-china-could-win-over-the-post-coronavirus-world-and-leave-the-us-behind-2020-04-14.

98 Sharma, Ruchir, "The Comeback Nation", *Foreign Affairs*, May/June 2020, https://www.foreignaffairs.com/articles/united-states/2020-03-31/comeback-nation.

99 This is the subtitle of the article by Kevin Rudd already quoted: "The Coming Post-COVID Anarchy: The Pandemic Bodes Ill for Both American and Chinese Power – and for the Global Order", https://www.foreignaffairs.com/articles/united-states/2020-05-06/coming-post-covid-anarchy. All quotes in the paragraph are from this article.

100 Miyamoto, Takenori, "Interview: US is a mess but China isn't the solution: Niall Ferguson", *Nikkei Asian Review*, 21 May 2020, https://asia.nikkei.com/Editor-s-Picks/Interview/US-is-a-mess-but-China-isn-t-the-solution-Niall-Ferguson.

101 Signé, Landry, "A new approach is needed to defeat COVID-19 and fix fragile states", Brookings, 21 April 2020, https://www.brookings.edu/blog/future-development/2020/04/21/a-new-approach-is-needed-to-defeat-covid-19-and-fix-fragile-states.

102 As reported in *Monthly Barometer*, June 2020.

103 Miller, Adam, "Call unanswered: A review of responses to the UN appeal for a global ceasefire", Armed Conflict Location & Event Data Project (ACLED), 13 May 2020, https://acleddata.com/2020/05/13/call-unanswered-un-appeal.

104 Quammen, David, "We Made the Coronavirus Epidemic", *The New York Times*, 28 January 2020, https://www.nytimes.com/2020/01/28/opinion/coronavirus-china.html.

105 "Coronavirus and Wildlife Letter: Stimulus Package", 24 March 2020, https://www.documentcloud.org/documents/6819003-CoronavirusWildlifeLetterStimulusPackage.html.

106 World Economic Forum, "COVID-19 – Food/Nature/Climate", Internal document, May 2020.

107 Cui, Yan, et al., "Air pollution and case fatality of SARS in the People's Republic of China: an ecologic study", *Environmental Health*, vol. 2, no. 15, 2003, https://ehjournal.biomedcentral.com/articles/10.1186/1476-069X-2-15.

108 Friedman, Lisa, "New Research Links Air Pollution to Higher Coronavirus Death Rates", *The New York Times*, 7 April 2020, https://www.nytimes.com/2020/04/07/climate/air-pollution-coronavirus-covid.html. The scientific article published by researchers from Harvard University is by Wu, Xiao, et al., "Exposure to air pollution and COVID-19 mortality in the United States: A nationwide cross-sectional study", Harvard T.H. Chan School of Public Health, 24 April 2020 update, https://projects.iq.harvard.edu/covid-pm.

74 McNulty, Jennifer, "Youth activism is on the rise around the globe, and adults should pay attention, says author", UC Santa Cruz, 17 September 2019, https://news.ucsc.edu/2019/09/taft-youth.html.

75 As an example, in September 2019, more than 4 million young people demonstrated simultaneously in 150 countries to demand urgent action on climate change; see Sengupta, Somini, "Protesting Climate Change, Young People Take to Streets in a Global Strike", *The New York Times*, 20 September 2019, https://www.nytimes.com/2019/09/20/climate/global-climate-strike.html.

76 For a discussion of current forms of nationalism, see Wimmer, Andreas, "Why Nationalism Works", *Foreign Affairs*, March/April 2019, https://www.foreignaffairs.com/articles/world/2019-02-12/why-nationalism-works.

77 Rudd, Kevin, "The Coming Post-COVID Anarchy", *Foreign Affairs*, 6 May 2020, https://www.foreignaffairs.com/articles/united-states/2020-05-06/coming-post-covid-anarchy.

78 Rodrik, Dani, *The Globalization Paradox*, Oxford University Press, 2012.

79 Pastor, Lubos and Pietro Veronesi, "A rational backlash against globalisation", VOX, 28 September 2018, https://voxeu.org/article/rational-backlash-against-globalisation.

80 Huang, Yanzhong, "U.S. Dependence on Pharmaceutical Products From China", Council on Foreign Relations, Blog post, 14 August 2019, https://www.cfr.org/blog/us-dependence-pharmaceutical-products-china.

81 Khanna, Parag, "Post-pandemic: welcome to the multi-speed world of regional disparities", *Global Geneva*, 26 April 2020, https://www.global-geneva.com/post-pandemic-welcome-to-the-multi-speed-world-of-regional-disparities.

82 Global Business Alliance, "Inbound Investment Survey", May 2020, https://globalbusiness.org/dmfile/GlobalBusinessAlliance_InboundInvestmentSurveyFindings_May2020.pdf.

83 Paulson, Henry, "Save globalisation to secure the future", *Financial Times*, 17 April 2020, https://www.ft.com/content/da1f38dc-7fbc-11ea-b0fb-13524ae1056b.

84 United Nations, Department of Economic and Social Affairs (DESA), Committee for Development Policy, "Global governance and global rules for development in the post-2015 era", Policy Note, 2014, https://www.un.org/en/development/desa/policy/cdp/cdp_publications/2014cdppolicynote.pdf.

85 Subramanian, Arvind, "The Threat of Enfeebled Great Powers", Project Syndicate, 6 May 2020, https://www.project-syndicate.org/commentary/covid19-will-weaken-united-states-china-and-europe-by-arvind-subramanian-2020-05.

86 Fukuyama, Francis, *Political Order and Political Decay: From the Industrial Revolution to the Globalization of Democracy*, Farrar, Straus and Giroux, 2014.

87 Shivshankar Menon, a former Indian national security adviser, quoted in Crabtree, James, "How coronavirus exposed the collapse of global leadership", *Nikkei Asian Review*, 15 April 2020, https://asia.nikkei.com/Spotlight/Cover-Story/How-coronavirus-exposed-the-collapse-of-global-leadership.

88 Cabestan, Jean-Pierre, "China's Battle with Coronavirus: Possible Geopolitical Gains and Real Challenges", Aljazeera Centre for Studies, 19 April 2020, https://studies.aljazeera.net/en/reports/china%E2%80%99s-battle-coronavirus-possible-geopolitical-gains-and-real-challenges.

89 Anderlini, Jamil, "Why China is losing the coronavirus narrative", *Financial Times*, 19 April 2020, https://www.ft.com/content/8d7842fa-8082-11ea-82f6-150830b3b99a.

90 Kynge, James, Katrina Manson and James Politi, "US and China: edging towards a new type of cold war?", *Financial Time*, 8 May 2020, https://www.ft.com/content/fe59abf8-cbb8-4931-b224-56030586fb9a.

56 The expression has been used, and also debunked, repeatedly. For a specific example, see Jones, Owen, "Coronavirus is not some great leveller: it is exacerbating inequality right now", *The Guardian*, 9 April 2020, https://www.theguardian.com/commentisfree/2020/apr/09/coronavirus-inequality-managers-zoom-cleaners-offices.

57 El-Erian, Mohamed A. and Michael Spence, "The Great Unequalizer", *Foreign Affairs*, 1 June 2020, https://www.foreignaffairs.com/articles/united-states/2020-06-01/great-unequalizer.

58 Dingel, Jonathan I. and Brent Neiman, "How Many Jobs Can be Done at Home?", Becker Friedman institute, White Paper, June 2020, https://bfi.uchicago.edu/wp-content/uploads/BFI_White-Paper_Dingel_Neiman_3.2020.pdf.

59 Deaton, Angus, "We may not all be equal in the eyes of coronavirus", *Financial Times*, 5 April 2020, https://www.ft.com/content/0c8bbe82-6dff-11ea-89df-41bea055720b.

60 Milanovic, Branko, "The Real Pandemic Danger Is Social Collapse", *Foreign Affairs*, 19 March 2020, https://www.foreignaffairs.com/articles/2020-03-19/real-pandemic-danger-social-collapse.

61 According to the Global Protest Tracker of the Carnegie Endowment for International Peace, https://carnegieendowment.org/publications/interactive/protest-tracker.

62 Milne, Richard, "Coronavirus 'medicine' could trigger social breakdown", *Financial Times*, 26 March 2020, https://www.ft.com/content/3b8ec9fe-6eb8-11ea-89df-41bea055720b.

63 Long, Heather and Andrew Van Dam, "The black-white economic divide is as wide as it was in 1968", *The Washington Post*, 4 June 2020, https://www.washingtonpost.com/business/2020/06/04/economic-divide-black-households.

64 McAdam, Doug, "Recruitment to High-Risk Activism: The Case of Freedom Summer", *American Journal of Sociology*, vol. 92, no. 1, July 1986, pp. 64-90, https://www.jstor.org/stable/2779717?seq=1.

65 Micklethwait, John and Adrian Wooldridge, "The Virus Should Wake Up the West", Bloomberg, 13 April 2020, https://www.bloomberg.com/opinion/articles/2020-04-13/coronavirus-pandemic-is-wake-up-call-to-reinvent-the-state.

66 Knoeller, Herman, "The Power to Tax", *Marquette Law Review*, vol. 22, no. 3, April 1938.

67 Murphy, Richard, "Tax and coronavirus: a tax justice perspective", Tax Research UK, 24 March 2020, https://www.taxresearch.org.uk/Blog/2020/03/24/tax-and-coronavirus-a-tax-justice-perspective.

68 Mazzucato, Mariana, "The Covid-19 crisis is a chance to do capitalism differently", *The Guardian*, 18 March 2020, https://www.theguardian.com/commentisfree/2020/mar/18/the-covid-19-crisis-is-a-chance-to-do-capitalism-differently.

69 Stiglitz, Joseph E., "A Lasting Remedy for the Covid-19 Pandemic's Economic Crisis", *The New York Review of Books*, 8 April 2020, https://www.nybooks.com/daily/2020/04/08/a-lasting-remedy-for-the-covid-19-pandemics-economic-crisis.

70 This is shown in particular in the annual Edelman Trust Barometer, https://www.edelman.com/trustbarometer.

71 Two prominent examples emanate from the International Panel on Social Progress, *Rethinking Society for the 21st Century*, 2018, https://www.cambridge.org/gb/academic/subjects/politics-international-relations/political-economy/rethinking-society-21st-century-report-international-panel-social-progress, and the World Bank, *Toward a New Social Contract*, 2019, https://openknowledge.worldbank.org/bitstream/handle/10986/30393/9781464813535.pdf.

72 Kissinger, Henry A., "The Coronavirus Pandemic Will Forever Alter the World Order", *The Wall Street Journal*, 3 April 2020 https://www.wsj.com/articles/the-coronavirus-pandemic-will-forever-alter-the-world-order-11585953005.

73 Hu, Katherine, "'I Just Don't Think We Have the Luxury to Have Dreams Anymore'", *The New York Times*, 24 March 2020, https://www.nytimes.com/2020/03/24/opinion/coronavirus-recession-gen-z.html.

36 Banerjee, Abhijit V. and Esther Duflo, *Good Economics for Hard Times*, PublicAffairs, 2019.

37 同書

38 Commission on Growth and Development, *The Growth Report: Strategies for Sustained Growth and Inclusive Development*, World Bank, 2008; Hallward-Driemeier, Mary and Gaurav Nayyar, *Trouble in the Making? The Future of Manufacturing-Led Development*, World Bank Group, 2018.

39 Ellen MacArthur Foundation, "What is a circular economy?", 2017, https://www.ellenmacarthurfoundation.org/circular-economy/concept.

40 As proven by the Platform for Accelerating the Circular Economy (PACE), see https://pacecircular.org.

41 International Trade Union Confederation (ITCU), "Investing in the Care Economy: A Pathway to Growth", 8 March 2016, https://www.ituc-csi.org/investing-in-the-care-economy-a.

42 Cassidy, John, "Can We Have Prosperity Without Growth?", *The New Yorker*, 3 February 2020, https://www.newyorker.com/magazine/2020/02/10/can-we-have-prosperity-without-growth.

43 Degrowth, "Degrowth: New Roots for the Economy", 2020, https://www.degrowth.info/en/open-letter.

44 McAfee, Andrew, *More from Less*, Simon & Schuster, Inc., 2019.

45 Blanchard, Olivier, "Designing the fiscal response to the COVID-19 pandemic", Peterson Institute for International Economics (PIIE), Briefing 20-1, 8 April 2020.

46 Reinhart, Carmen M. and Kenneth Rogoff, "The Coronavirus Debt Threat", *The Wall Street Journal*, 26 March 2020, https://www.wsj.com/articles/the-coronavirus-debt-threat-11585262515.

47 Reinhart, Carmen M., "This Time Truly Is Different", Project Syndicate, 23 March 2020, https://www.project-syndicate.org/commentary/covid19-crisis-has-no-economic-precedent-by-carmen-reinhart-2020-03.

48 Saez, Emmanuel and Gabriel Zucman, "Keeping Business Alive: The Government Will Pay", 16 March 2020 revision, http://gabriel-zucman.eu/files/coronavirus2.pdf.

49 Effective deep negative interest rates would have to be supported with measures to prevent financial firms from hoarding cash, see Rogoff, Kenneth, "The Case for Deeply Negative Interest Rates", Project Syndicate, 4 May 2020, https://www.project-syndicate.org/commentary/advanced-economies-need-deeply-negative-interest-rates-by-kenneth-rogoff-2020-05.

50 Blanchard, Olivier, "Is there deflation or inflation in our future?", VOX, 24 April 2020, https://voxeu.org/article/there-deflation-or-inflation-our-future.

51 Sharma, Ruchir, "Elizabeth Warren and Donald Trump Are Wrong About the Same Thing", *The New York Times*, 24 June 2019, https://www.nytimes.com/2019/06/24/opinion/elizabeth-warren-donald-trump-dollar-devalue.html.

52 Kumar, Aditi and Eric Rosenbach, "Could China's Digital Currency Unseat the Dollar?", *Foreign Affairs*, 20 May 2020, https://www.foreignaffairs.com/articles/china/2020-05-20/could-chinas-digital-currency-unseat-dollar.

53 Paulson Jr., Henry M., "The Future of the Dollar", *Foreign Affairs*, 19 May 2020, https://www.foreignaffairs.com/articles/2020-05-19/future-dollar.

54 Eichengreen, Barry, Arnaud Mehl and Livia Chițu, "Mars or Mercury? The geopolitics of international currency choice", VOX, 2 January 2018, https://voxeu.org/article/geopolitics-international-currency-choice.

55 Kissinger, Henry A., "The Coronavirus Pandemic Will Forever Alter the World Order", *The Wall Street Journal*, 3 April 2020, https://www.wsj.com/articles/the-coronavirus-pandemic-will-forever-alter-the-world-order-11585953005.

18 Jordà, Òscar, Sanjay R. Singh and Alan M. Taylor, "Longer-Run Economic Consequences of Pandemics", Federal Reserve Bank of San Francisco, Working Paper 2020-09, 2020, https://www.frbsf.org/economic-research/files/wp2020-09.pdf.

19 Bloomberg, "Coronavirus Is Likely to Become a Seasonal Infection Like the Flu, Top Chinese Scientists Warn", Time, 28 April 2020, https://time.com/5828325/coronavirus-covid19-seasonal-asymptomatic-carriers.

20 Kristof, Nicholas, "Let's Remember That the Coronavirus Is Still a Mystery",*The New York Times*, 20 May 2020, https://www.nytimes.com/2020/05/20/opinion/us-coronavirus-reopening.html.

21 Draulans, Dirk, "'Finally, a virus got me.' Scientist who fought Ebola and HIV reflects on facing death from COVID-19", *Science*, 8 May 2020, https://www.sciencemag.org/news/2020/05/finally-virus-got-me-scientist-who-fought-ebola-and-hiv-reflects-facing-death-covid-19#.

22 Moore, Kristine, et al., *COVID-19: The CIDRAP Viewpoint*, Center for Infectious Disease Research and Policy (CIDRAP), 2020, https://www.cidrap.umn.edu/sites/default/files/public/downloads/cidrap-covid19-viewpoint-part1_0.pdf.

23 Cherukupalli, Rajeev and Tom Frieden, "Only Saving Lives Will Save Livelihoods", *Foreign Affairs*, 13 May 2020, https://www.foreignaffairs.com/articles/united-states/2020-05-13/only-saving-lives-will-save-livelihoods.

24 Badger, Emily and Alicia Parlapiano, "Government Orders Alone Didn't Close the Economy. They Probably Can't Reopen It",*The New York Times*, 9 May 2020 update, https://www.nytimes.com/2020/05/07/upshot/pandemic-economy-government-orders.html.

25 Wighton, Kate, "Lockdown and school closures in Europe may have prevented 3.1m deaths", Imperial College London, 8 June 2020, https://www.imperial.ac.uk/news/198074/lockdown-school-closures-europe-have-prevented.

26 Hsiang, Solomon, et al., "The effect of large-scale anti-contagion policies on the COVID-19 pandemic", *Nature*, 8 June 2020, https://www.nature.com/articles/s41586-020-2404-8.

27 Goodman, Peter S., " Why the Global Recession Could Last a Long Time", *The New York Times*, 1 April 2020, https://www.nytimes.com/2020/04/01/business/economy/coronavirus-recession.html.

28 Organisation for Economic Co-operation and Development (OECD), "Evaluating the initial impact ofCOVID-19 containment measures on economic activity", 10 June 2020, https://read.oecd-ilibrary.org/view/?ref=126_126496-evgsi2gmqj&title=Evaluating_the_initial_impact_of_COVID-19_containment_measures_on_economic_activity.

29 CPB Netherlands Bureau for Economic Policy Analysis, "Scenarios economic consequences corona crisis", CPB Scenarios, March 2020, https://www.cpb.nl/sites/default/files/omnidownload/CPB-Scenarios-March-2020-Scenarios-economic-consequences-corona-crisis.pdf.

30 International Monetary Fund, "World Economic Outlook Update", June 2020, https://www.imf.org/en/Publications/WEO/Issues/2020/06/24/WEOUpdateJune2020.

31 Politi, James, "What to know about America's newly unemployed",*Financial Times*, 21 May 2020, https://www.ft.com/content/5924441b-1cb6-4fbd-891b-0afb07e163d7.

32 Frey, Carl Benedikt, "Covid-19 will only increase automation anxiety", F*inancial Times*, 21 April 2020, https://www.ft.com/content/817228a2-82e1-11ea-b6e9-a94cffd1d9bf.

33 Jaimovich, Nir and Henry E. Siu, "Job Polarization and Jobless Recoveries", National Bureau of Economic Research (NBER), Working Paper 18334, November 2018 revision, https://www.nber.org/papers/w18334.pdf.

34 Coyle, Diane and Benjamin Mitra-Khan, "Making the Future Count", mimeo, 2017.

35 Boffey, Daniel, "Amsterdam to embrace 'doughnut' model to mend post-coronavirus economy",*The Guardian*, 8 April 2020, https://www.theguardian.com/world/2020/apr/08/amsterdam-doughnut-model-mend-post-coronavirus-economy.

参考文献

1 Snowden, Frank, *Epidemics and Society: From the Black Death to the Present*, Yale University Press, 2019.

2 Tuchman, Barbara, *A Distant Mirror – The Calamitous 14th Century*, Random House Trade Paperbacks; Reissue edition, 1987.

3 Solana, Javier, "Our Finest Hour", Project Syndicate, 28 March 2020, https://www.project-syndicate.org/commentary/global-socioeconomic-landscape-after-covid19-pandemic-by-javier-solana-2020-03.

4 Camus, Albert, *The Plague*, Stuart Gilbert translation, Alfred A. Knopf, Inc., 1948, p. 80.

5 Mahbubani, Kishore, *he Great Convergence: Asia, the West, and the Logic of One World*, PublicAffairs, Perseus Books Group, 2013.

6 World Economic Forum, *The Global Risks Report 2020*, Insight Report, 15th Edition, http://www3.weforum.org/docs/WEF_Global_Risk_Report_2020.pdf.

7 Wharton University of Pennsylvania, Risk Management and Decision Processes Center, "The Ostrich Paradox: Why We Underprepare for Disasters", Issue Brief, May 2018, https://riskcenter.wharton.upenn.edu/wp-content/uploads/2019/03/Ostrich-Paradox-issue-brief.pdf.

8 Wagenaar, William A. and Sabato D. Sagaria, "Misperception of exponential growth", *Perception & Psychophysics*, vol. 18, 1975, pp. 416–422, https://link.springer.com/article/10.3758/BF03204114.

9 CDC, "2019-2020 U.S. Flu Season: Preliminary Burden Estimates", https://www.cdc.gov/flu/about/burden/preliminary-in-season-estimates.htm

10 Johns Hopkins University & Medicine, Coronavirus Resource Center, "COVID-19 Dashboard by the Center for Systems Science and Engineering (CSSE) at Johns Hopkins University (JHU)", 24 June 2020.

11 Simon, Herbert, "The Architecture of Complexity", *Proceedings of the American Philosophical Society*, vol. 106, no. 6, 1962, pp. 467-482.

12 Malleret, Thierry,*Disequilibrium: A World Out of Kilter*, BookBaby, 2012.

13 Contrary to white-swan events, which are certain, black-swan events are very rare, hard to predict (non-probabilistic) and have outsized consequences. They are called "black swans" in reference to the fact that such swans were presumed not to exist until Dutch explorers discovered them in Western Australia at the end of the 17th century.

14 Webb, Richard, "Quantum physics", *New Scientist*, n.d., https://www.newscientist.com/term/quantum-physics/#.

15 Project Gutenberg, "A Journal of the Plague Year by Daniel Defoe", http://www.gutenberg.org/ebooks/376.

16 Jordison, Sam, "Defoe's Plague Year was written in 1722 but speaks clearly to our time", *The Guardian*, 5 May 2020, https://www.theguardian.com/books/booksblog/2020/may/05/defoe-a-journal-of-the-plague-year-1722-our-time.

17 Schama, Simon, "Plague time: Simon Schama on what history tells us",*Financial Times*, 10 April 2020, https://www.ft.com/content/279dee4a-740b-11ea-95fe-fcd274e920ca.

著者紹介

クラウス・シュワブ教授（1938年、ドイツ、ラーベンスブルグ生まれ）は世界経済フォーラムの創設者で現在も会長を務める。1971年に発表した『機械工学分野の最新企業経営』で、企業は株主だけでなく、すべての利害関係者、すなわちステークホルダーのために、長期的成長と繁栄を実現する使命があると説き、このステークホルダー尊重主義を推し進めるために、同年、世界経済フォーラムを設立した。

フライブルク大学で経済学博士号、スイス連邦工科大学で工学博士号、ハーバード大学ケネディ行政大学院で行政学修士号を取得。1972年には、同フォーラムの主宰に加え、ジュネーブ大学の教授にも就任。これまで国内外で17の名誉博士号を含む、数多くの賞を受賞している。近年の著作には、30言語に翻訳される世界的ベストセラーとなった2016年発表の『第四次産業革命　ダボス会議が予測する未来』（日本経済新聞出版、2016年）と2018年発表の『「第四次産業革命」を生き抜く　ダボス会議が予測する混乱とチャンス』（日本経済新聞出版、2019年）がある。

ティエリ・マルレ（1961年、フランス、パリ生まれ）は、個人投資家、グローバル企業のトップ、オピニオンリーダーや政策決定者向けに簡潔な予測分析を提供するオンラインメディア『マンスリー・バロメーター』の創設者であり、現在も代表を務める。世界経済フォーラムとの関わりも深く、グローバルリスクネットワークを設立し、そのプログラムのリーダーを務めるほか、さまざまな役職を兼任している。

フランス国立社会科学高等研究院（パリ）と英国オックスフォード大学セント・アントニーズ・カレッジで、経済学と歴史学の修士号ならびに経済学博士号を取得。これまでに投資銀行、シンクタンク、学界や政府機関（パリの首相官邸で過ごした3年間を含む）でキャリアを積んできた。数冊のビジネス本や学術書、そして四冊の小説の著者でもある。現在、フランスのシャモニーで妻マリー・アンと暮らしている。

グレート・リセット
ダボス会議で語られる アフターコロナの世界

2020年10月26日　第1版1刷
2022年 6 月 3 日　　　4刷

著者	クラウス・シュワブ　ティエリ・マルレ
翻訳	藤田正美　チャールズ清水　安納令奈
翻訳監修	前濱暁子
編集	尾崎憲和
装丁	渡邊民人(TYPEFACE)
本文デザイン	谷関笑子(TYPEFACE)
制作	クニメディア
発行者	滝山 晋
発行	日経ナショナル ジオグラフィック社
	〒105-8308　東京都港区虎ノ門4-3-12
発売	日経BPマーケティング
印刷・製本	日経印刷

ISBN978-4-86313-499-7　Printed in Japan

乱丁・落丁本のお取替えは、こちらまでご連絡ください。
https://nkbp.jp/ngbook